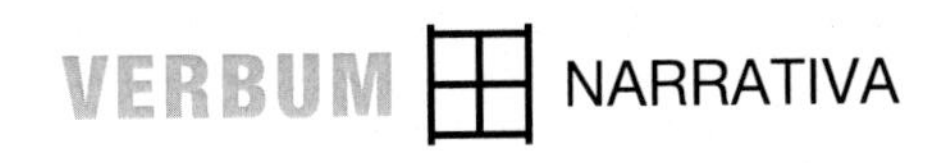

ADIÓS MI HABANA

LAS MEMORIAS DE UNA GRINGA Y SU TIEMPO
EN LOS AÑOS REVOLUCIONARIOS DE LA DÉCADA DE LOS 60

serie **Biblioteca Cubana**

Dirigida por: Pío E. Serrano

Serie dedicada a difundir lo mejor de la literatura cubana clásica y contemporánea. Agrupa temas y abordajes relativos a las letras cubanas, con títulos de diferentes géneros y autores de dentro y fuera de la Isla, en un diálogo cultural útil y generador de intercambios. Entre los autores más destacados de la Serie, figuran: José Martí, José María Heredia, Julián del Casal, Gertrudis Gómez de Avellaneda, Cirilo Villaverde, Ramón Meza, Jorge Mañach, Alejo Carpentier, Pablo de la Torriente, José María Chacón y Calvo, Nivaria Tejera, Juan Arcocha, Guillermo Cabrera Infante, Leonardo Padura, Abilio Estévez, Pedro Juan Gutiérrez, José Lorenzo Fuentes, Dulce María Loynaz, Isel Rivero, Roberto González Echevarría, José Olivio Jiménez, Manuel Díaz Martínez, Severo Sarduy, Francisco Morán, Lilliam Moro, Carlos Montenegro, Lino Novás Calvo, Severo Sarduy, Eugenio Suárez Galbán, José Prats Sariol, Félix Luis Viera, Rafael Alcides, Armando Álvarez Bravo, José Abreu Felippe, Antonio José Ponte, Reinaldo Montero, Luis Manuel García, Reinaldo García Ramos, Julio Travieso, José Kozer, Lydia Cabrera, Eliseo Diego, Gastón Baquero, Lina de Feria, Virgilio López Lemus, Ramón Fernández Larrea, Enrique Pérez Díaz, José Triana, Rogelio Riverón, Virgilio Piñera...

ANNA VELTFORT

Adiós mi Habana

Las memorias de una gringa
y su tiempo en los años revolucionarios
de la década de los 60

Tr.ª Sierra de Gata, 5
La Poveda (Arganda del Rey)
28500 - Madrid
Teléf.: (+34) 910 46 54 33
e-mail: info@editorialverbum.es
https://editorialverbum.es

I.S.B.N.: 978-84-9074-581-6
Depósito Legal: M-24544-2017

Diseño de colección: Origen Gráfico, S. L.
Preimpresión: Grafía Soluciones Gráficas, S. L.
Printed in Spain / Impreso en España

Before you cross the street,
Take my hand,
Life is what happens to you,
while you're busy making other plans

— Beautiful Boy (Darling Boy)
JOHN LENNON

Para Stacy,
por su amor, su sabiduría, y su alegría
Para Sophia,
nuestra creación más sublime

ÍNDICE

AGRADECIMIENTOS

Desde que me despedí de Cuba en 1972, amistades y conocidos me han sugerido escribir sobre lo que viví en la Cuba revolucionaria de los años 60. Por fin, en el año 2008 me lancé. Con el apoyo de familia y de amigos, dediqué casi diez años al proyecto. Me ayudaron con valiosísimas sugerencias, consejos, y apoyo moral de principio a fin. Quiero ahora expresarles mi infinita gratitud.

En primer lugar, Stacy, mi pareja amada de más de treinta años. Ella ha hecho posible que yo pudiera dedicar años de trabajo a la creación de este libro. Sin ese apoyo, este libro sencillamente no existiría. Su generosidad y su confianza me dieron el espacio y el coraje para llevarlo a cabo. Por fortuna y gran dicha mía he podido encontrar con Stacy un lugar en el mundo donde pertenecer y vivir en paz y felicidad.

Sophia, nuestra hija, joven escritora y editora, me ayudó desde la concepción del libro hasta su final, en la primera versión, en inglés. Sophia hizo la corrección de estilo y me aconsejó con ideas y críticas siempre constructivas y sagaces. Quiero darle mis gracias también a Josh Macey, el prometido galante de Sophia. Con ojo agudo y gran corazón, me dio sus valiosas impresiones desde los inicios.

La escritora Dorothy Allison, amiga muy querida, fue la primera persona que me hizo creer que yo realmente podía y debía hacerlo. Me impulsó a comenzar lo que solo había soñado durante décadas. Barbara Jones, una amiga del mundo editorial, con su entusiasmo y conocimientos fue una ayuda imprescindible para aprender a navegar el mundo de las editoriales y publicaciones. Mis amigos Karin y Dave Thomas desde hace décadas trataron de convencerme de que escribiera mis memorias. Leyeron el libro cuidadosamente y me brindaron sus comentarios generosos. Debo gratitud especial a Laura Slatkin y a Alejandro Velasco por su apoyo y fe en este proyecto.

Quiero ahora expresar mi más profunda gratitud a Lourdes Cairo en La Habana, por las excelentes fotografías que hizo de La Habana que yo necesitaba para los trasfondos de numerosas escenas en el libro.

Mi amiga Josefina de Diego fue lectora cuidadosa de la versión inicial y me ofreció sugerencias excelentes. Su interés y su apoyo para el proyecto fueron un sostén importante desde el principio.

Marta Eugenia Rodríguez, Martugenia en el libro por como la llamábamos, tuvo la gentileza de permitirme usar el material en su detallado diario de campaña en la Sierra Maestra en 1967. Siempre apoyó este proyecto y con gran interés llegó a leer, antes de morir en septiembre 2015, casi todo el libro para confirmar o corregir varias anécdotas y la historia vivida.

Minerva Salado, gran amiga y veterana de aquellos tiempos en la Universidad de la Habana, hizo una bondadosa lectura crítica, como también hizo Rita Abreu, desde su perspectiva mexicana.

Enseñé el libro al editor y fundador de la Editorial Verbum en Madrid, Pío E. Serrano, amigo y viejo compañero de aula en la Universidad de La Habana en los años 60. Para gran suerte y alegría mía, Pío estuvo dispuesto a emprender esta edición en español conmigo. Editor gentil y sabio, ha transformado mi español imperfecto y fracturado a un español pulido y fluido, y guió el proyecto hasta su exitoso final. Le estaré siempre endeudada.

Muchas gracias a todo el equipo de la Editorial Verbum, a su director Luis Rafael Hernández, y a Antonio Ramos, que me guió pacientemente por los pasos del proceso de producción hasta imprimir estas memorias, *Adiós mi Habana.*

Por último, muchísimas gracias a Antonio José Ponte e Isel Rivero por su lectura generosa de este libro y el aporte de sus palabras perspicaces de introducción.

PRÓLOGO

Estos son, dicho en cubano, muñequitos. Aunque no broten en ellos relámpagos o rayos, ni sobresalgan de la página las onomatopeyas. Aunque no haya un zas ni un bomb, y ni siquiera un glup. Tampoco superhéroes, ni una civilización en peligro y a punto de perderse. Por el contrario: la única salvación del género humano pareciera residir en esa isla a la que llega al inicio de esta historia la adolescente protagonista, y en la que vivirá y se educará durante años.

Pues en el comunismo pareciera residir la única salvación de la humanidad y hasta allá van a desembocar muchas historias previas. Así, mucho antes de que el barco que lleva a la protagonista llegue a La Habana, su padrastro y su madre habrán atravesado por lo que podría considerarse un buen resumen de la primera mitad del siglo XX: guerra civil en España; desnazificación (hubo un Reich nazi), desestalinización (hubo un Stalin); psicoanálisis (Otto Rank, ex suegro del padrastro); cacerías del senador McCarthy; lucha por los derechos civiles en Estados Unidos; una probable era posnuclear para la que su padrastro diseña un sistema de comunicaciones; amistad con una de las hermanas Mitford, Jessica, la comunista... Y, para rematar esta enumeración de siglo tan agitado, la revolución cubana triunfante en 1959 en la que desembarca la adolescente Connie, que antes se llamó Cornelia, y que en adelante será apodada, cariñosamente, Gringa.

Esta es la novela autobiográfica de esa joven germanoestadounidense que, por decisiones tomadas por sus padres, se verá expuesta a una educación comunista en Cuba, descubrirá su homosexualidad en un cine habanero donde proyectan una película de Chaplin, llegará a sentirse amenazada por los exhibicionistas de la ciudad, y será acorralada por un régimen capaz de conciliar a policías, jueces y psiquiatras para combatir la homosexualidad y otros desvíos de la norma.

Muchos de los elementos de esta historia, del trasfondo histórico, habían sido publicados ya por la autora en un blog que resultó ser un archivo: *El Archivo de Connie.* Allí dio a conocer materiales preciosos, frágiles por sumamente escamoteados, verdaderas joyitas: recortes de la prensa revolucionaria que notician las campañas de purificación ideológica, las razzias en las universidades, los juicios contra cualquier diferencia, la mofa y persecución de homosexuales, la creación de un sistema de campos de concentración donde encerrar a quien desentone...

Pruebas todas ellas de que existió una encarnizada lucha oficial contra los diversionismos, aunque décadas después los nuevos comisarios del régimen intenten ocultarla o disminuirla, queriendo hacer creer que esas persecuciones de desviados fueron apenas un desvío del humanismo revolucionario, corregido ya y sin relación con lo que existe actualmente.

No es casual que buena parte de esas piezas que prueban el celo de la ortoxia revolucionaria y su puesta en práctica hayan sido, precisamente, muñequitos. En ellos la furia represiva movía a los héroes y la denigración de homosexuales (también de rockeros e intelectuales, porque hubo una gran rabia anti-intelectual) descoyuntaba a unas criaturas dibujadas para provocar risa y asco. Aquellos muñequitos eran el mejor vehículo para entenderse con niños y adolescentes, para sembrarles a esos niños y adolescentes el odio y la cizaña.

Hay justicia entonces en que vengan ahora a ser muñequitos los que cuenten algunas de aquellas historias, de aquellos (si los llamamos como lo habrían hecho policías, jueces y psiquiatras) casos. Hay justicia en que esas historias o casos vengan a retomarse con un arte que la autora comenzó a aprender en La Habana, en las sesiones de un taller de dibujo del instituto oficial de cine.

La Habana tuvo que ser para ella, no solamente el campamento de vigilancia y represión en que el régimen revolucionario intentó convertir a la ciudad, sino también una red de amistades y de amores puesta a prueba por la persecución política. Se explica entonces que, pese a todas las vicisitudes, el último recuadro de este libro, sea un diálogo breve y contenido entre quien llegara allí siendo una adolescente y la propia ciudad.

"Adiós, mi Habana", le dice ella.

Y La Habana le contesta: "Adiós, Gringa".

Antonio José Ponte

Capítulo 1

La Bahía de La Habana

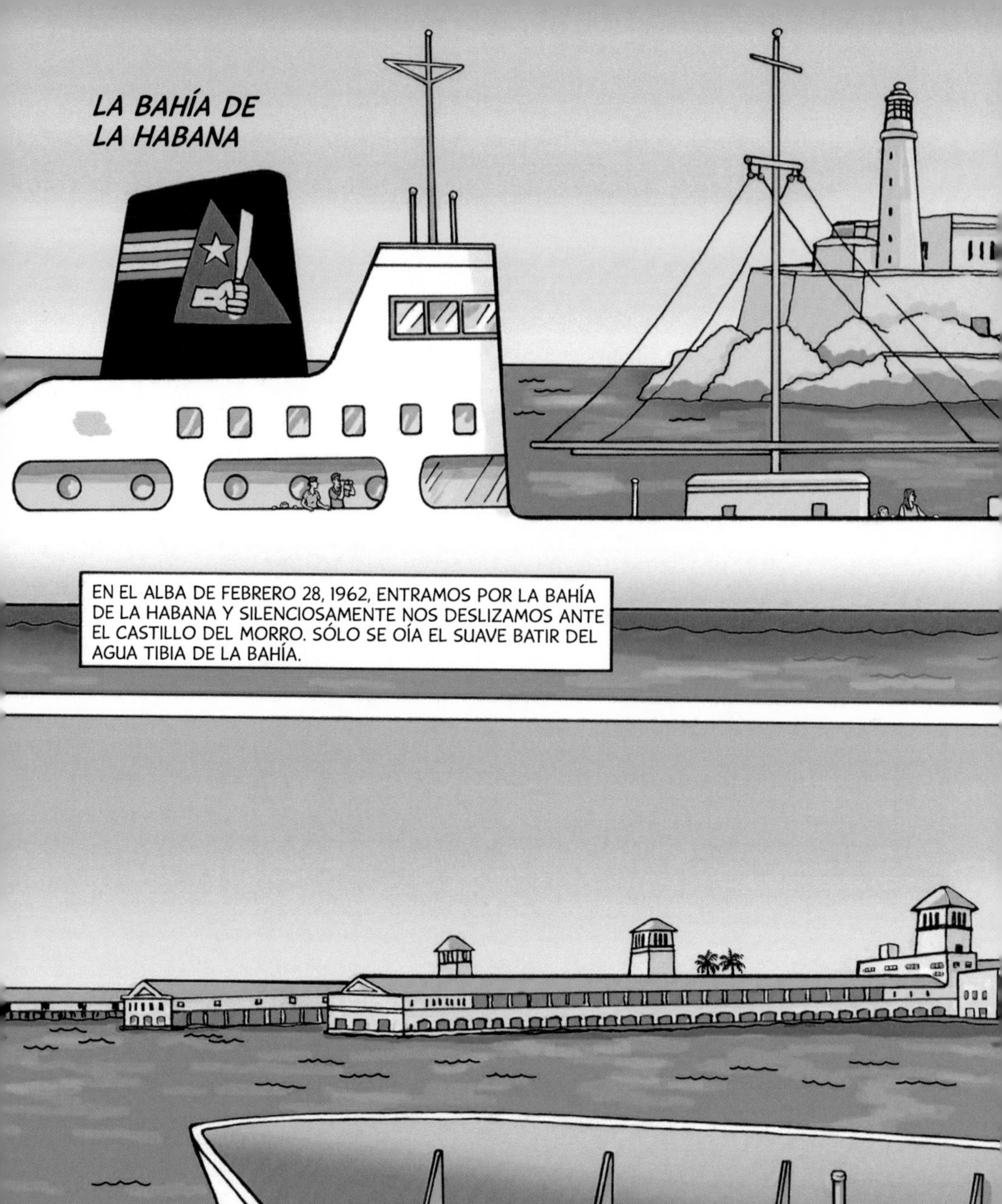
LA BAHÍA DE
LA HABANA
EN EL ALBA DE FEBRERO 28, 1962, ENTRAMOS POR LA BAHÍA DE LA HABANA Y SILENCIOSAMENTE NOS DESLIZAMOS ANTE EL CASTILLO DEL MORRO. SÓLO SE OÍA EL SUAVE BATIR DEL AGUA TIBIA DE LA BAHÍA.

DURANTE UNA SEMANA, EN EL VIAJE A LA HABANA DESDE VERACRUZ, MI MADRE, SU ESPOSO TED, SUS NIÑOS NIKKI Y KEVIN, Y YO, DE 16 AÑOS DE EDAD, MÁS LA HIJASTRA DE TED, VIVIMOS EN EL FUNDADOR, UN BARCO FRIGORÍFICO DE CARGA CUBANO, DESPUÉS DE CINCO MESES ANSIOSOS EN MÉXICO A LA ESPERA DE LAS VISAS Y LA INVITACIÓN PROMETIDAS POR EL GOBIERNO CUBANO PARA QUE TED PUDIERA TRABAJAR Y VIVIR EN CUBA CON SU FAMILIA.

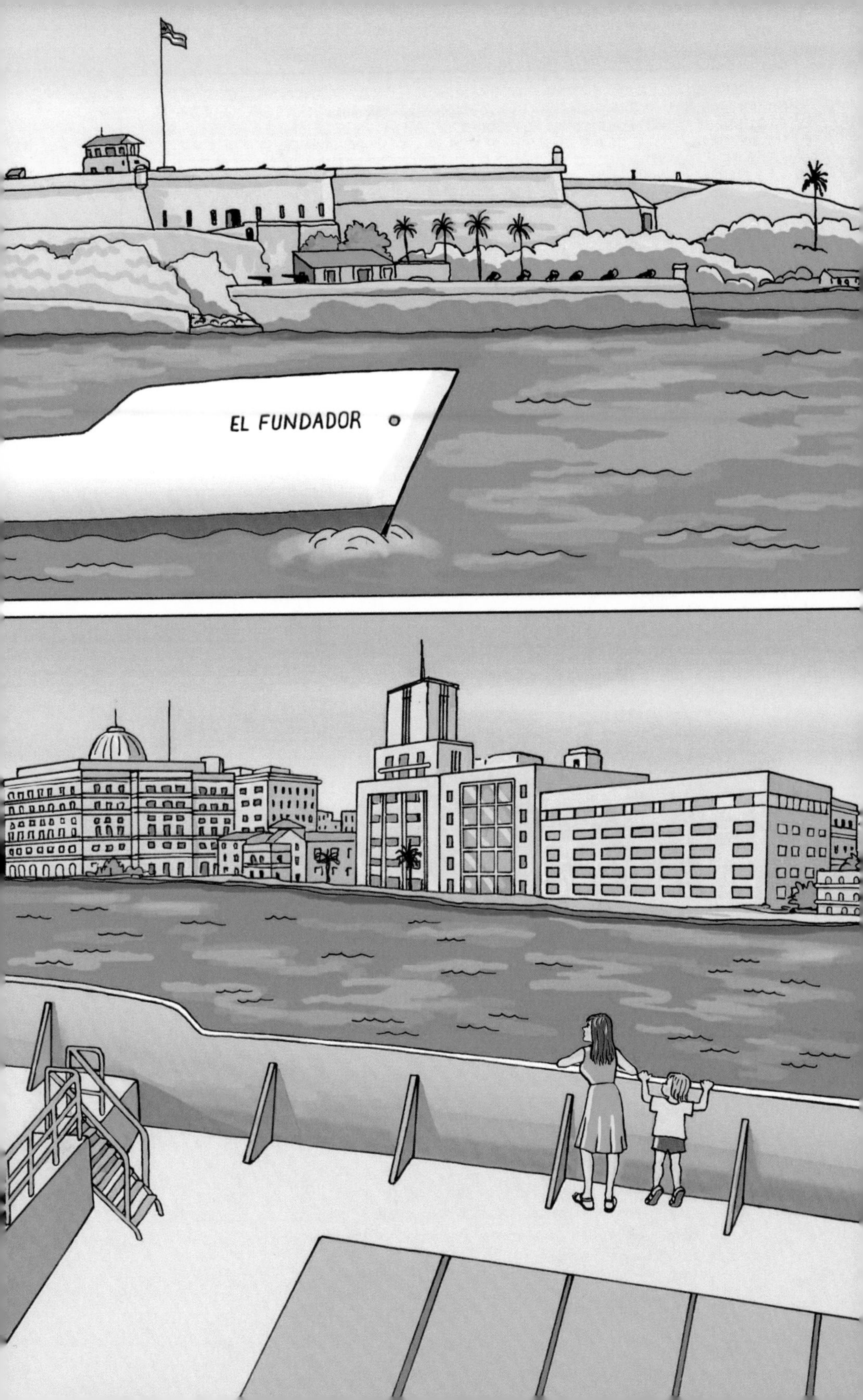
EL FUNDADOR

EL BARCO ANCLÓ EN LA TERMINAL SAN FRANCISCO. CONTEMPLAMOS ESTA ESCENA DURANTE VARIAS HORAS MIENTRAS ESPERÁBAMOS EL PERMISO PARA DESEMBARCAR. EL CAOS BUROCRÁTICO PARALIZABA EL FLUIR DE LAS GESTIONES OFICIALES. PERO EL TIEMPO ERA MUY AGRADABLE, TODAVÍA ESTABÁBAMOS EN LA TEMPORADA FRESCA DEL AÑO, EL CIELO DE UN AZUL PERFECTO Y LOS MUELLES LLENOS DE ACTIVIDAD.
¡OYE RUBIA, MÁMAMELA!
PERO... ¿Y POR QUÉ ESOS HOMBRES TIENEN SUS PENES EN LA MANO Y ME MIRAN A MÍ?
¡¡¡PSSSS!!! ¡¡¡PSSSS!!! ¡¡¡PSSSS!!!

¡¡¡PSSSSS!!!
¡¡¡PSSSSS!!!
¡¡¡PSSSSS!!!
¡AY, MAMI RICA! ¡QUÉ BUENA TÚ ESTÁS!
ÉSTA FUE LA SEGUNDA VEZ QUE MI MADRE Y YO COMENZÁBAMOS DE NUEVO LA VIDA EN UN PAÍS AJENO. DIEZ AÑOS ATRÁS, LENORE, MI MADRE SOLTERA, HABÍA DECIDIDO ABANDONAR NUESTRO PAÍS, ALEMANIA, Y LAS RUINAS DE LA SEGUNDA GUERRA MUNDIAL, PARA BUSCAR FORTUNA EN AMÉRICA. SU AMANTE DE TURNO SE NEGABA A DIVORCIARSE, Y MÁS TARDE LENORE ME COMENTÓ QUE ALEMANIA NO ERA SUFICIENTE PARA QUE CUPIESEN LOS DOS.

A AMÉRICA EN EL S.S. ITALIA

EL BARCO ITALIA ERA UNA NAVE DE PASAJEROS CON SECTORES DE 1^{A}, 2^{A} Y 3^{A} CLASE. NOSOTRAS COMPARTIMOS UNA CABINA DE TERCERA CON OTRAS DOS MUJERES. ATERRADA, YO TEMÍA CAER AL MAR Y MORIR AHOGADA.

LENORE AHORRÓ DURANTE DOS AÑOS Y SORTEÓ EL PAPELEO BUROCRÁTICO. EN SEPTIEMBRE DE 1952 DEJAMOS ATRÁS TODO LO QUE YO CONOCÍA. MI ABUELA ANNA Y EL ABUELO JOSUÉ SE REUNIERON CON NOSOTRAS EN HAMBURGO PARA LA DESPEDIDA.

DESPUÉS DE UNOS DIEZ MINUTOS EN EL BARCO, HICE AMISTAD CON OTRA NIÑA ALEMANA Y SU ENORME PERRO PELUDO. ME FUÍ CORRIENDO CON MIS NUEVOS ALIADOS Y PRONTO ME BUSQUÉ LA IRA DE LENORE.

¡BARF!
NEUTRALIZADOS LOS ADULTOS POR MAREOS, MI NUEVA AMIGA Y YO PUDIMOS EXPLORAR A GUSTO.

1ST CLASS ONLY
SHH... CÁLLATE.

DESOBEDECIMOS EL REGLAMENTO QUE PROHIBÍA A LOS PASAJEROS DE TERCERA SALIR DE SU ZONA A OTRAS EN EL BARCO. EN PUNTILLAS EVITAMOS A LOS OFICIALES DE GUARDIA PARA CONOCER ESTA CIUDAD MISTERIOSA SOBRE EL MAR.

¡MIRA ESO!
¡QUÉ ASQUEROSO!

NOS FAMILIARIZAMOS CON LOS BAÑOS DE LOS HOMBRES Y LAS MUJERES, LOS SALONES DE BAILE, LA BARBERÍA Y, MÁS ABAJO, LA SALA DE LOS MOTORES DEL BARCO CON SU RUIDO INFERNAL.

NUEVA YORK

LO ÚNICO QUE YO ESPERABA VER CON ENTUSIASMO, LA GENTE DE DIFERENTES COLORES DE LA QUE NOS HABLARON LOS SOLDADOS AMERICANOS, NO SE VEÍA POR NINGUNA PARTE.

DESPUÉS DE PASAR IMMIGRACIÓN Y ADUANA, NOS REUNIMOS CON ERIKA, LA HERMANA MENOR DE LA MEJOR AMIGA DE LENORE CUANDO NIÑAS. SU FAMILIA SE HABÍA ESCAPADO DE LOS NAZIS JUSTO A TIEMPO. ERIKA Y SU ESPOSO, ASENTADOS AHORA EN NUEVA YORK, SIGUIERON DESPUÉS A ISRAEL.

PARTIMOS PARA ARLINGTON, VIRGINIA, A LA CASA DE LOS WINSLOWS, UNA PAREJA AMERICANA ANTERIORMENTE ENVIADA A DARMSTADT POR EL DEPARTAMENTO DE ESTADO A DIRIGIR UN PROGRAMA DE DESNAZIFICACIÓN. DE VUELTA A LOS EE.UU. NOS INVITARON A QUEDARNOS EN SU CASA MIENTRAS LENORE HICIERA SUS PLANES. AQUÍ DESCUBRÍ UNA SUSTANCIA CELESTIAL AMERICANA, LA MANTEQUILLA DE MANÍ.

UNA NOCHE, OCURRIÓ ALGO SUMAMENTE PERTURBADOR. ME DIJERON QUE DEBÍA CANTAR Y PEDIR LIMOSNAS, DE PUERTA EN PUERTA ANTE DESCONOCIDOS, MIENTRAS PORTABA PLUMAS EN LA CABEZA. DESOBEDECER NO ERA UNA OPCIÓN. NO SABÍA NADA DE HALLOWEEN Y POR POCO MUERO DE VERGÜENZA.

TED VELTFORT, EL NUEVO NOVIO

A LOS DOS AÑOS DE LLEGAR A LOS ESTADOS UNIDOS, NOS ASENTAMOS EN CALIFORNIA. LENORE COMENZÓ A RECIBIR LAS ATENCIONES DE TED, SU NUEVO NOVIO AMERICANO. ÉL SE PERCATÓ RÁPIDAMENTE DE QUE LENORE NO SABÍA NI PIZCA DE COCINA. LE REGALÓ UN RECETARIO Y SE DEDICÓ A EDUCARLA EN VARIOS TERRENOS...
MIRA, TE TRAJE ALGO. *¡NADIE PUEDE VIVIR SIN UN RADIO!*
¡AQUÍ TIENES LA COMIDA!
AH, POR CIERTO... HAY ALGO QUE TE TENGO QUE DECIR. SOY COMUNISTA.
¡QUATSCH! LE SACARÉ ESA BASURA DE LA CABEZA.
A LOS POCOS MESES...
¡CORNELIA! ¿QUÉ CREES QUE HICIMOS HOY?
¡TED Y YO NOS CASAMOS ESTA MAÑANA! QUÉ MARAVILLOSO, ¿VERDAD?
¡AY! ¿AHORA ESTE SEÑOR NO SE IRÁ NUNCA MÁS?

LENORE IGNORÓ MI FALTA DE ENTUSIASMO. DE ESO NUNCA HABLAMOS Y ELLA SE ENTREGÓ FELIZMENTE A SU NUEVA VIDA. TED NO TENÍA UN CENTAVO. NO TUVIERON UNA LUNA DE MIEL. ÉL SE LAS ARREGLABA REPARANDO RADIOS EN SU GARAJE, TRAS HABER CAÍDO EN LA LISTA NEGRA DE IZQUIERDISTAS POLÍTICOS. TODAS LAS FIRMAS ELECTRÓNICAS LE NEGARON TRABAJO.

DESPUÉS DE CASARSE, TED CONSIGUIÓ AL FIN UN EMPLEO BUENO. DECIDIERON QUE NECESITABAN UNA CASA MÁS AMPLIA, NO EN EL VALLE TAN LLENO DE HABITANTES, SINO QUE ESTUVIERA BIEN ALEJADA EN EL BOSQUE, COMO VIVÍA TED ANTES. A DURAS PENAS REUNIERON EL DINERO Y ALQUILARON UNA CASA DE DOS PISOS EN LAS COLINAS DE LOS ALTOS...

TED VELTFORT NACIÓ EN CAMBRIDGE, MASSACHUSETTS, HIJO DE "*WASPS*," DE LA CLASE MEDIA ALTA BLANCA. DESCRIBÍA A SU PADRE COMO UN REPUBLICANO DERECHISTA, ANTISEMITA, RACISTA, Y, SOBRE TODO, INTENSAMENTE ANTICOMUNISTA. SEGÚN TED, SU MADRE, DE ALMA DELICADA, Y DE TENDENCIA MÁS LIBERAL, SUFRÍA INTENSAMENTE SABIENDO QUE LA SECRETARIA DE SU MARIDO ERA TAMBIÉN SU AMANTE.

EN LOS AÑOS 30, TED ASISTIÓ PRIMERO A PRINCETON, Y LUEGO A SWARTHMORE. AQUÍ DESCUBRIÓ LA IZQUIERDA RADICAL Y SE HIZO ACTIVISTA.

EN PRINCETON, DONDE SE ESPERABA QUE TODOS PARTICIPARAN EN SERVICIOS RELIGIOSOS, VARIOS ESTUDIANTES AGNÓSTICOS FORMARON UN GRUPO DE ESTUDIOS ALTERNATIVOS DONDE SE DISCUTÍAN LOS TEMAS DEL DÍA, ESPECIALMENTE LA POLÍTICA. UNO DE SUS ASESORES FUE ALBERT EINSTEIN.

EN 1936 -TED TENÍA 21 AÑOS- ESTALLÓ LA GUERRA CIVIL ESPAÑOLA. FRANCO Y SUS GENERALES ATACARON A LA REPÚBLICA.

TED FUE UNO DE LOS CERCA DE TRES MIL JÓVENES NORTEAMERICANOS QUE SE SUMARON COMO VOLUNTARIOS ANTE EL LLAMADO DE LA REPÚBLICA, MIENTRAS LOS EEUU Y EL RESTO DE EUROPA ABANDONARON A ESPAÑA. EL PRINCIPAL PAÍS EN RESPONDER CON AYUDA FUE LA UNION SOVIÉTICA. A TRAVÉS DE FRANCIA, TED CRUZÓ LAS MONTAÑAS A PIE, Y RÁPIDAMENTE SE HIZO CHÓFER DE AMBULANCIAS EN LOS FRENTES DE COMBATE.

FUE TESTIGO DE LA ACCIÓN MILITAR EN EL FRENTE DE ARAGÓN Y EN LA BATALLA PERDIDA DE TERUEL.
¡LOS COMUNISTAS SON LOS ÚNICOS QUE SABEN HACER LAS COSAS!
EN TED NACIÓ UNA FÉRREA LEALTAD Y ADMIRACIÓN POR EL GOBIERNO SOVIÉTICO Y LOS COMUNISTAS ESPAÑOLES. DETESTABA A LOS ANARQUISTAS Y LOS LIBERALES.

LA PASIONARIA
EL FASCISMO TRIUNFANTE DERROTÓ A LOS REPUBLICANOS. EL GOBIERNO, A PUNTO DE DESPLOMARSE, DESPACHÓ A SUS CASAS COMO HÉROES A LOS SOBREVIVIENTES DE LAS BRIGADAS INTERNACIONALES EN EL OTOÑO DE 1938...

REGRESÓ A LOS ESTADOS UNIDOS, INGRESÓ DE NUEVO EN LA UNIVERSIDAD, Y MILITÓ EN UNA ORGANIZACIÓN DE JÓVENES COMUNISTAS. AL ESTALLAR LA II GUERRA MUNDIAL, FUE RECLUTADO Y SIRVIÓ EN EL SERVICIO DE TRANSMISIONES COMO TÉCNICO DE RADIO. PERO NUNCA LO ENVIARON AL EXTRANJERO, NO ERA FIABLE POR SUS ANTECEDENTES IZQUIERDISTAS.

SE CASÓ CON UNA JUDÍA, UN HECHO DESAGRADABLE PARA SU PADRE Y MADRASTRA. SU MADRE HABÍA MUERTO POCO DESPUÉS DEL DIVORCIO, Y AHORA TED SE CONVIRTIÓ EN LA OVEJA NEGRA DE LA FAMILIA, UNA HERIDA QUE NUNCA SE SANÓ.

HÉLÈNE, LA HIJA DE OTTO RANK, COLABORADOR DE SIGMUND FREUD, ERA UNA SICÓLOGA INFANTIL. TUVIERON DOS HIJAS, DANYA Y SUZY. PERO EN 1949 HÉLÈNE SE DIVORCIÓ DE TED Y ÉL SE RETIRÓ A UNA CABAÑA EN EL BOSQUE. AQUÍ REPARABA RADIOS EN SU GARAJE. NO HABÍA EMPLEO PARA LOS ROJOS. LA HISTERIA DE LA GUERRA FRÍA ESTABA EN SU APOGEO.

TED, AL FIN, CONSIGUIÓ UN EMPLEO COMO INGENIERO ELECTRÓNICO, PERO SÓLO DURÓ HASTA QUE SU FIRMA RECIBIÓ UN CONTRATO MILITAR, LO CUAL INMEDIATAMENTE REQUIRIÓ UN CHEQUEO DE SEGURIDAD DE TODOS LOS EMPLEADOS. CAMBIÓ DE EMPLEOS CON FRECUENCIA, SIEMPRE BUSCANDO EVITAR A LOS INVESTIGADORES. NOS MUDAMOS DE CASA EN CASA.

OTRO EMPLEO, OTRA MUDANZA. ESTA VEZ TUVIMOS QUE ABANDONAR EL BOSQUE Y VIVIR EN UNA CIUDAD, PARA DISGUSTO DE TED, EN BERKELEY, CALIFORNIA, EN EL LLANO DE VIRGINIA STREET, CON MI PRÓXIMA ESCUELA AL OTRO LADO DE LA CALLE. ANTES DE EMPEZAR ALLÍ, JURÉ LIBRARME DE MI NOMBRE ALEMÁN Y ADOPTAR UNO MÁS AMERICANO, UNA BATALLA QUE GANÉ.

LENORE DESCUBRIÓ QUE ESTABA ENCINTA.

NIKKI ERA UNA NIÑA VIVAZ Y COMPLICADA. YO LA ADORABA. NACIÓ CON UNA PIERNA QUE NECESITABA UN SOSTÉN ESPECIAL QUE LE HACIA CAMINAR COMO UNA TORTUGA. ERA EL CENTRO DE NUESTRA VIDA FAMILIAR, DONDE TAMBIÉN HUBO BASTANTE TENSIÓN, GENERADA POR EL DINERO, LA POLÍTICA, EL ALCOHOL DE TED Y... POR MÍ.

LENORE COMENZÓ LOS TRÁMITES PARA OBTENER LA CIUDADANÍA, Y ENTONCES EMPEZARON LAS VISITAS DEL FBI. A TED LO TENÍAN BAJO SOSPECHA NO SOLO POR HABER PARTICIPADO EN LA BRIGADA ABRAHAM LINCOLN EN ESPAÑA, SINO POR SER MIEMBRO DEL PARTIDO COMUNISTA EN LOS AÑOS 30 Y 40. ATRAJO LA ATENCIÓN DE LOS AGENTES DE HOOVER. COMENCÉ A COBRAR CONCIENCIA DE LA TURBULENCIA POLÍTICA QUE PREOCUPABA Y ENVOLVÍA A TED Y AHORA A LENORE.

POR LA NOCHE Y EN LOS FINES DE SEMANA YO CUIDABA A NIKKI, MIENTRAS TED Y LENORE ASISTÍAN A REUNIONES POLÍTICAS O A FIESTAS DE SUS AMIGOS, CUANDO NO SE PELEABAN A GRITO PELADO.

EL CERRITO Y EL BEBÉ KEVIN
LA BARRERA ANTICONCEPTIVA DE LENORE FALLÓ DE NUEVO. INESPERADAMENTE OTRO BEBÉ ESTABA EN CAMINO. KEVIN LLEGÓ EN LA PRIMAVERA DEL '58, JUSTO A TIEMPO PARA EMPEZAR LA VIDA EN UNA CASA NUEVA. TED Y LENORE DECIDIERON COMPRARLA EN LAS LOMAS DE EL CERRITO, EN EL LADO ESTE DE LA BAHÍA DE SAN FRANCISCO. TED GANABA AHORA UN BUEN SALARIO AL TRABAJAR PARA WILLIAM SCHOCKLEY, CO-INVENTOR DEL TRANSISTOR, GANADOR DEL PREMIO NOBEL, Y RACISTA NOTORIO.
¡HUMM..!
NUESTRA MERIENDA FAVORITA: LAS MORAS QUE CRECÍAN AL FONDO DE LA LOMA.
¡DESPIÉRTATE! ¡DESPIÉRTATE!
POR LA FIEBRE, NIKKI EMPEZÓ A TENER PESADILLAS. LENORE LA SACUDÍA VIOLENTAMENTE PARA SACARLA DE SUS DELIRIOS.
AH... ES UNA NIÑA TAN DIFÍCIL. ES MÁS INTELIGENTE, PERO NO TAN BELLA COMO NUESTRO KEVIN.
¡AY, DIÓS, MÍO! ¡ARDE EN FIEBRE!
UNA VEZ TUVO UNA FIEBRE TAN ALTA QUE TED Y LENORE LA CUBRIERON CON HIELO. GRITABA DESESPERADA. YO NO LA PODÍA SALVAR.

ME VOLVÍ PROTECTORA DE NIKKI. ELLA SE ACOSTUMBRÓ A ENTRAR EN MI CUARTO Y A ACOSTARSE EN MI CAMA CUANDO SUS PESADILLAS LA DESPERTABAN EN MEDIO DE LA NOCHE.

¡¡Z-Z-Z!!

¡ALÉJATE BRUJA HORRIBLE! ¡¡TE ODIO!! ¡¡TE ODIO!! ¡¡TE ODIO!!

PERO NO LA PUDE PROTEGER DE LA BRUJA EN SUS SUEÑOS. FUE POR ENTONCES CUANDO NIKKI ME EMPEZÓ A REVELAR CUÁNTO LA ODIABA Y CUÁNTO LE ESPANTABA.

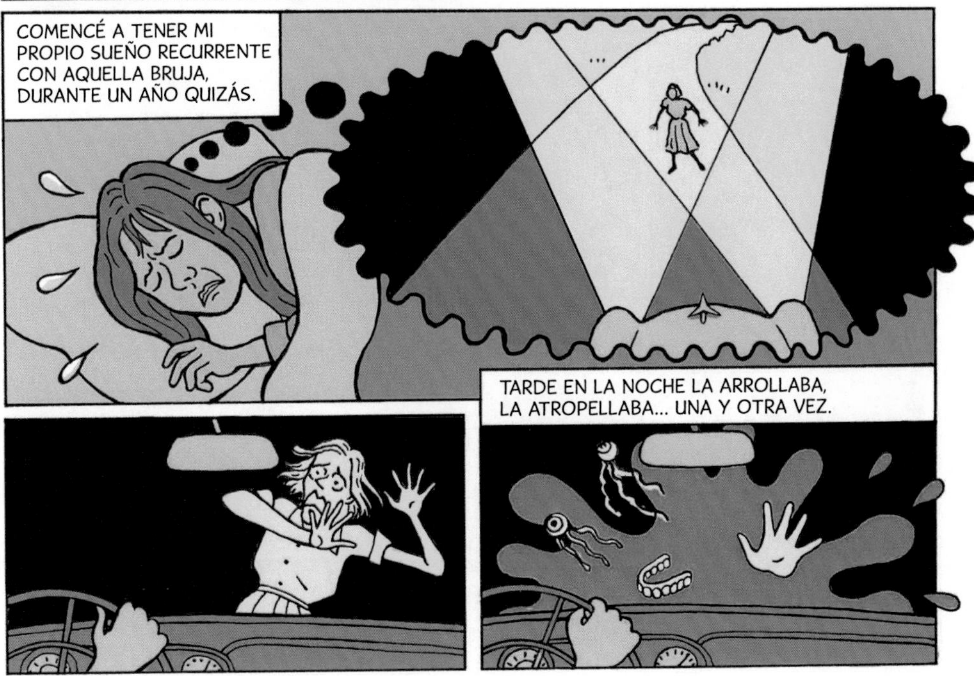

COMENCÉ A TENER MI PROPIO SUEÑO RECURRENTE CON AQUELLA BRUJA, DURANTE UN AÑO QUIZÁS.

TARDE EN LA NOCHE LA ARROLLABA, LA ATROPELLABA... UNA Y OTRA VEZ.

TED LE DIO A LEER A LENORE FOLLETOS Y LIBROS DEL PARTIDO COMUNISTA. LA INTRODUJO EN UNA COMUNIDAD VIGILADA. MUCHOS ERAN ANTIGUOS MIEMBROS DEL PARTIDO COMUNISTA, DESENCANTADOS DESPUÉS DE CONOCER EL DISCURSO DE KRUSCHEV DE 1953 CON REVELACIONES SOBRE LOS CRÍMENES DE STALIN, LOS LLAMADOS "COMPAÑEROS DE VIAJE."

DOS MIEMBROS DE ESTE CÍRCULO ME IMPRESIONARON PROFUNDAMENTE. MARGE FRANTZ Y DECCA TRUEHAFT ENCABEZARON LA CAMPAÑA A FAVOR DE JOHN Y SYLVIA POWELL, DOS PERIODISTAS ACUSADOS POR EL GOBIERNO DE EISENHOWER DE TRAICIÓN Y SEDICIÓN. SE FORMULARON CARGOS EN SU CONTRA EN 1956. MARGE Y SU FAMILIA ERAN NUESTROS VECINOS.

MARGE Y DECCA ME DEJARON PARTICIPAR EN LOS PREPARATIVOS DE LA SUBASTA. ESCUCHABA SUS CONVERSACIONES Y ME FASCINABA SENTIRME PARTE DE SU CÍRCULO MÁGICO.

LOS POWELL HABÍAN TRABAJADO Y VIVIDO MUCHOS AÑOS EN CHINA, DONDE PUBLICABAN UNA REVISTA EN INGLÉS, *THE CHINA MONTHLY REVIEW*. EN ELLA ACUSABAN AL GOBIERNO AMERICANO DE HABER COMETIDO ATAQUES BACTERIOLÓGICOS DURANTE LA GUERRA DE COREA.

LUEGO DE REGRESAR A LOS ESTADOS UNIDOS EN 1950, EL GOBIERNO LES PERSIGUIÓ SIN TREGUA. ENCARARON UN JUICIO EN EL '59, QUE SALIÓ EN TODA LA PRENSA. DURANTE DÉCADAS LES AMENAZARON CON LA PRISIÓN. NO TENÍAN ALIADOS POLÍTICOS, NINGÚN APOYO. LA ATMÓSFERA RECORDABA AL JUICIO DE LOS ROSENBERG.

DECCA TRUEHAFT, CONOCIDA TAMBIEN COMO JESSICA MITFORD, ERA UNA GRAN AMIGA DE MARGE. JUGÓ UN IMPORTANTE PAPEL EN LAS ACTIVIDADES POLÍTICAS DE SOLIDARIDAD. ERA UNA DE LAS FAMOSAS HERMANAS BRITÁNICAS, LAS MITFORD. ELLA ERA LA COMUNISTA DE LA FAMILIA, MIENTRAS DOS DE SUS HERMANAS ERAN FASCISTAS NOTORIAS. DIANA SE CASÓ CON EL JEFE DE LA UNIÓN DE FASCISTAS BRITÁNICOS, WALTER MOSELEY, EN BERLIN EN CASA DE GOEBBELS. OTRA HERMANA FUE AMIGA PERSONAL DE HITLER.

TED COMENZÓ A PONER SU ATENCIÓN EN ALGO NUEVO. DOS DE SUS AMIGOS EN EL PARTIDO AHORA VIVÍAN Y TRABAJABAN EN CUBA, DONDE UN MOVIMIENTO REVOLUCIONARIO ACABABA DE LLEGAR AL PODER EL PRIMERO DE ENERO, 1959. EXHORTARON A TED A SUMARSE.

TED: TE VA A ENCANTAR ESTO. TE CONSEGUIREMOS UNA INVITACIÓN.
LENORECHEN, ¡ESCUCHA ESTO! ¡QUIERO MUDARME A CUBA! ¡LIONEL Y J. P. YA ESTÁN ALLÍ!
¡AY, TEDDY, ESTÁS LOCO! ¡ME GUSTA VIVIR AQUÍ! ¡ESTE ES MI PAÍS AHORA!
EL MÁS RECIENTE EMPLEO DE TED INCLUÍA CREAR UN SISTEMA DE COMUNICACIONES PARA LA ERA POS-NUCLEAR PARA LA ÉLITE MILITAR Y GUBERNAMENTAL. DETESTABA SU TRABAJO.

MIENTRAS TED SE FIJABA EN CUBA, MI ATENCIÓN IBA HACIA EL MOVIMIENTO DE JUSTICIA SOCIAL Y DERECHOS CIVILES EN EL SUR. YO LO HABÍA DESCUBIERTO RECIENTEMENTE Y ASISTÍA A LA IGLESIA UNITARIA. MI MAESTRA DE ESCUELA DOMINICAL, LA SEÑORA RIBERA, APOYABA CON PASIÓN LAS PROTESTAS CONTRA LA SEGREGACIÓN EN LAS CAFETERÍAS DE GREENSBORO, NORTH CAROLINA, Y EN LITTLE ROCK. POR ELLA Y POR LA INFLUENCIA DE LA MÚSICA DE PAUL ROBESON, PETE SEEGER Y OTROS, ESCUCHADAS EN LOS ACTOS POLÍTICOS DE TED Y LENORE, ME ENARDECÍ CON EL DESEO DE LUCHAR YO TAMBIÉN CONTRA LA INJUSTICIA.

SRA. RIBERA, ¿QUÉ PUEDO HACER? MIS PADRES NO ME DEJAN IR AL SUR. SOLO TENGO 14 AÑOS.
¡ÚNETE AL NAACP! ACEPTAN A LOS BLANCOS. Y TE UNES AL PIQUETE ANTE LA TIENDA WOOLWORTH.
WOOLWORTH CO.
JIM CROW MUST GO!
ASÍ LO HICE, LA ÚNICA NIÑA BLANCA EN UN GRUPO DE JÓVENES NEGROS. HICIMOS PIQUETES EN EL EAST BAY. UN DÍA ME VIO MI PROFESORA DE ECONOMÍA DOMÉSTICA, GANÉ UN SUSPENSO EN SU CLASE.

LA INVASIÓN DE PLAYA GIRÓN
¡FASCISTAS, HIJOS DE PUTA!
ABRIL 17, 1961— ¡FUERZAS CONTRARREVOLUCIONARIAS INVADEN CUBA! NOS PEGAMOS AL TELEVISOR DURANTE CUATRO DÍAS HASTA EL FIN. EL GOBIERNO REVOLUCIONARIO SE IMPUSO, Y LOS INVASORES FUERON DERROTADOS.
ANTI-CASTRO UNITS LAND IN CUBA; REPORT FIGHTING AT BEACHHEAD; RUSK SAYS U. S. WON'T INTERVENE
TUESDAY, APRIL 18, 1961
A Flood of Revolution Reports
Castro Says He'll Win; Rebels Claim Advance
Biggest Landings 'Still To Come'---Key Battle Expected Within Hours
Castro Jets Attack Rebels
Exiles Cite Losses; Bomb Raid Reported
FLORIDA
MIAMI
HAVANA
ANDROS
¡LA LUCHA CONTINÚA!
¡ME VOY PARA CUBA! ¡SI QUIERES SEGUIR CONMIGO, TENDRÁS QUE ACOMPAÑARME!
¿PERO LOS NIÑOS, QUÉ?
¡LA REVOLUCIÓN SE ENCARGARÁ DE ELLOS!
¡SI NOS VAMOS A CUBA, TIENES QUE ADOPTAR A CONNIE PRIMERO!
Castro Claims Rebels Wiped Out, War Ended
Kennedy Calls In Top U.S. Leaders
LENORE Y SU MADRE EN HAMBURGO INTERCAMBIARON CARTAS ANSIOSAS.
"No hay otro camino para Ted. Esto es lo que tiene que hacer. Se siente frustrado e infeliz. Si yo tratara de disuadirlo, mi matrimonio terminaría. No soy muy valiente ni soy aventurera. Sobre todo quisiera tener una casa para siempre, una vida tranquila después de todas las tribulaciones y cambios que he sufrido. Pero mi lugar es al lado de mi marido, quien nos mantiene a todos. Y no le puedo obligar a trabajar en algo que odia, solo para que yo tenga una vida confortable. Por favor, no comentes sobre nuestros planes con nadie. Nos podría perju-

LAS PROTESTAS CONTRA LA HUAC EN SAN FRANCISCO

LAURANT, EL ESPOSO DE MARGE FRANZ, ERA UN ABOGADO LABORALISTA, Y EL TEMIDO HUAC, EL COMITÉ DE ACTIVIDADES ANTI-AMERICANAS DEL CONGRESO, LO HABÍA CITADO A COMPARECER COMO TESTIGO HOSTIL DURANTE UNA SESIÓN DE TRES DÍAS, CELEBRADA EL 12, 13 Y 14 DE MAYO DE 1960, EN LA ALCALDÍA DE SAN FRANCISCO. MARGE AYUDÓ ORGANIZAR LOS PIQUETES DE PROTESTA. POR TODO EL PAÍS EL COMITÉ HABÍA LANZADO UNA CACERÍA DE COMUNISTAS EN CADA PROFESIÓN. PARA GRAN SORPRESA DEL COMITÉ, AQUÍ SE ENFRENTÓ A UNA INTENSA RESISTENCIA PÚBLICA. MARGE ME ANIMÓ A IR.

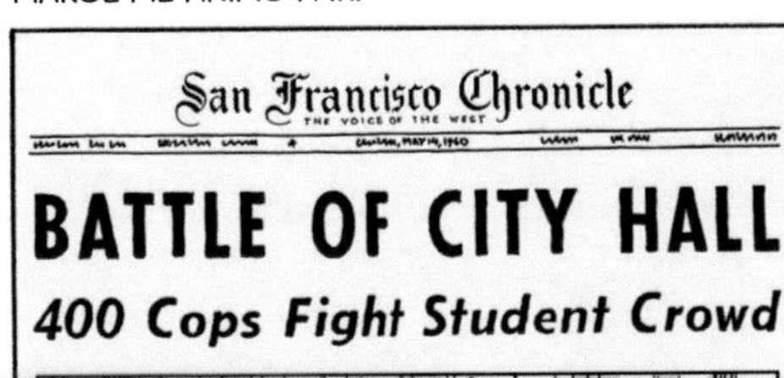

San Francisco Chronicle

THE VOICE OF THE WEST

BATTLE OF CITY HALL

400 Cops Fight Student Crowd

EL DÍA SIGUIENTE AQUELLO EXPLOTÓ CUANDO LA POLICÍA ATACÓ A LOS PROTESTANTES.

MAYO 14

DID THEY WASH YOU DOWN THE STAIRS, BILLY BOY, BILLY BOY? DID THEY WASH YOU DOWN THE STAIRS, CHARMING BILLY?

YES, THEY WASHED ME DOWN THE STAIRS AND THEY REARRANGED MY HAIR, ON THE STEPS OF THE CITY HALL ROTUNDA!

PROTECT CIVIL LIBERTIES ABOLISH HUAC

YO AHORA TENÍA 15 AÑOS Y ME FASCINABA PARTICIPAR EN LA POLÍTICA RADICAL DE LOS AÑOS 60 EN LOS EEUU. PERO EN EL VERANO DE 1961, ABANDONAMOS NUESTRA VIDA EN CALIFORNIA Y EMPRENDIMOS UNA VIDA NUEVA, EN OTRO PLANETA MUY, MUY, LEJANO...

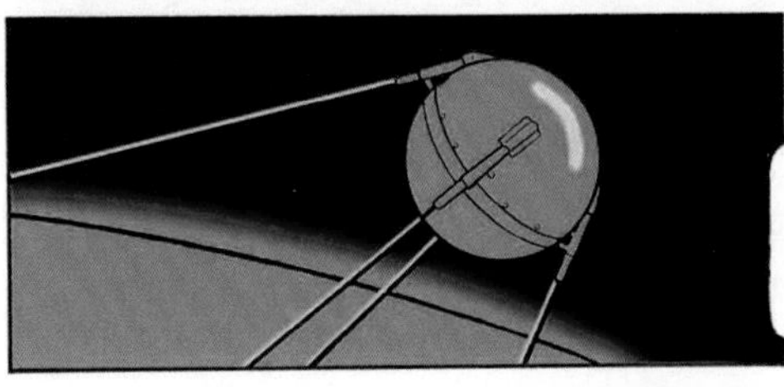

MIENTRAS TANTO, DESDE QUE LA URSS LANZARA EL PRIMER SATÉLITE EN EL '57, EL ESPÍRITU DE COMPETENCIA CONTRA LOS SOVIÉTICOS CONSUMÍA AL PÚBLICO Y AL GOBIERNO NORTEAMERICANOS.

The Huntsvi...

Man Enters Space

Soviet Officer Orbits Globe In 5-Ton Ship

Maximum Height Reached Reported As 188 Miles

'So Close, Yet So Far,' Sighs Cape

'To Keep Up, U.S. Must Run Like

MÉXICO

¿QUÉ HAGO SI ÉL NO APARECE...?"
LENORE ME ENVIÓ A ALEMANIA PARA QUE ME DESPIDIERA DE SU MADRE Y SU HERMANO. LUEGO DEBÍA REUNIRME CON LENORE Y FAMILIA EN LA CIUDAD DE MÉXICO, DONDE ESPERARÍAMOS LAS VISAS PARA CUBA. ME ENVIÓ UNA POSTAL CON LA PROMESA DE QUE TED ME IRÍA A BUSCAR AL AEROPUERTO. ELLOS VIAJARÍAN EN CARRO DESDE CALIFORNIA A JALAPA EN EL ESTADO DE VERACRUZ. ¿LLEGARÍAN A TIEMPO?

TED SÍ SE APARECIÓ Y AL DÍA SIGUIENTE NOS FUIMOS PARA JALAPA A ENCONTRARNOS CON LOS OTROS.

VIAJARON DURANTE MUCHOS DÍAS DESDE CALIFORNIA, BAJO UN SOL ARDIENTE. APENAS DESCANSARON.

¡QUIERO IRME A CASA!
¡ME DUELE LA CABEZA!
¡AY DIOS, LA NIÑA TIENE FIEBRE DE 39.5 GRADOS!
LENORE Y LOS NIÑOS, ENFERMOS Y EXHAUSTOS, NOS ESPERABAN EN UN HOTEL DEL CENTRO.

HACE FALTA UN MÉDICO PARA ABRIR ESTO... ¡QUÉ FORÚNCULO!

¡LES EXTRAÑÉ TANTO!

CADA DÍA EMPEZABA CON UNA SALIDA A LA PANADERÍA PARA COMPRAR PANES, DULCES Y FRUTAS A UNA MUJER INDÍGENA EN LA ESQUINA. COMÍAMOS EN EL HOTEL EN NUESTRAS HABITACIONES OSCURAS.

POR FORTUNA, UNA FAMILIA AMERICANA, VIEJOS AMIGOS DE TED, CON UN HIJO UN POCO MAYOR QUE NIKKI, VIVÍA EN JALAPA Y NOS PRESTÓ SU APARTAMENTO POR UN MES. NO DUDAMOS DE QUE NOS MARCHARÍAMOS MUCHO ANTES DE SU RETORNO. DESGRACIADAMENTE NOS PASAMOS CINCO MESES DESESPERADOS EN HOTELUCHOS CADA VEZ MÁS MISERABLES.

LOS MAESTROS DECIDIERON SEGREGAR A PAUL Y NIKKI DE LOS DEMÁS NIÑOS Y LES OBLIGARON A COMER EN UN AULA VACÍA.

MUCHOS AÑOS MÁS TARDE PAUL ME DIJO QUE FUE LA EXPERIENCIA MÁS HUMILLANTE DE SU NIÑEZ.

PARA LA HABANA EN EL FUNDADOR

¡AL FIN EMBARCAMOS! PARA SUERTE NUESTRA, EL PRIMER OFICIAL HABÍA DESERTADO EN TAMPICO, LO CUAL HIZO POSIBLE QUE NOSOTROS CINCO PUDIÉRAMOS COMPARTIR SU CABINA, DEL TAMAÑO DE UN ASCENSOR GRANDE. SE ESPERABA QUE EL VIAJE DURARA NO MÁS DE CUATRO DÍAS, PERO NO FUE ASÍ.

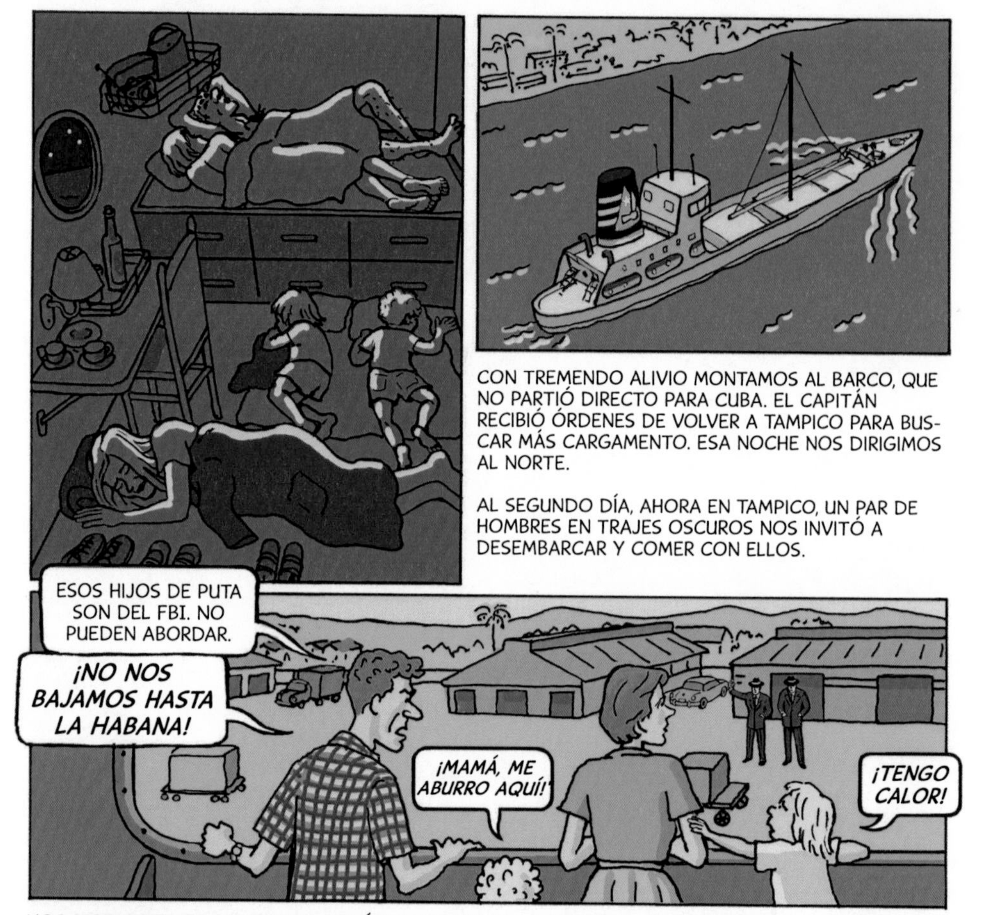

CON TREMENDO ALIVIO MONTAMOS AL BARCO, QUE NO PARTIÓ DIRECTO PARA CUBA. EL CAPITÁN RECIBIÓ ÓRDENES DE VOLVER A TAMPICO PARA BUSCAR MÁS CARGAMENTO. ESA NOCHE NOS DIRIGIMOS AL NORTE.
AL SEGUNDO DÍA, AHORA EN TAMPICO, UN PAR DE HOMBRES EN TRAJES OSCUROS NOS INVITÓ A DESEMBARCAR Y COMER CON ELLOS.
ESOS HIJOS DE PUTA SON DEL FBI. NO PUEDEN ABORDAR.
¡NO NOS BAJAMOS HASTA LA HABANA!
¡MAMÁ, ME ABURRO AQUÍ!
¡TENGO CALOR!

NOS ATRINCHERAMOS MIENTRAS CRECÍAN LAS TENSIONES. POR EL LADO DEL BARCO HACIA EL MAR, MUJERES MEXICANAS SE ACERCABAN PARA OFRECERSE A SÍ MISMAS O A SUS BEBÉS A LOS MARINEROS.

¡MIRE, ES UN BEBÉ GRINGO!
¡SE LO VENDO POR SÓLO 80 DÓLARES!

LA TRIPULACIÓN CONSISTÍA EN 20 HOMBRES. NOS TRATÁBAMOS CON LOS OFICIALES Y COMPARTÍAMOS SU COMEDOR. ERAN AMABLES Y BONDADOSOS, CON CURIOSIDAD POR SUS EXTRAÑOS PASAJEROS. LAS NOCHES ERAN INFERNALES PERO LOS DÍAS EN LA CUBIERTA ERAN MÁS SERENOS.

¿QUÉ HACÍAS ANTES DE HACERTE INSTRUCTOR?
LUCHÉ CON EL EJÉCITO REBELDE. ANTES, ERA TRABAJADOR DE FÁBRICA. *¡SOY REVOLUCIONARIO!*
DE ESTUDIOS
2pm-4pm
Patria o Muerte!
MIGUEL ERA EL COMISARIO POLÍTICO, "EL INSTRUCTOR REVOLUCIONARIO." CADA BUQUE DE LA MARINA MERCANTE CUBANA TENÍA UNO ASIGNADO. ERA SINCERO Y CORTÉS.

¡MIRA! ¡PUEDO VER LAS LUCES!

POR EL HORIZONTE GRADUALMENTE SE DIVISABA LA ORILLA EN EL ALBA NACIENTE. VIAJAMOS POR LA COSTA SOBRE UN AGUA NEGRA Y CALLADA. LA CIUDAD SE DEJÓ VER, PRIMERO COMO MANCHAS GRISES Y LUEGO CON FORMAS RECONOCIBLES Y LUCECITAS ESTRELLADAS.

AL FIN DESEMBARCAMOS EN LA HABANA Y NOS DESPEDIMOS DE NUESTRA TRIPULACIÓN. NOS ESPERABAN VIEJOS AMIGOS DE TED, DESDE CALIFORNIA, QUE AHORA VIVÍAN Y TRABAJABAN AQUÍ COMO "TÉCNICOS EXTRANJEROS." EN LOS MUELLES TAMBIÉN NOS ESPERABAN OTROS DOS HOMBRES, UN CUBANO Y UN AMERICANO, ROBERT WALTER, EL JEFE DEL "DEPARTAMENTO DE TECNOLOGÍA INDUSTRIAL DE JUCEPLAN", QUIEN IBA AHORA A SER EL NUEVO JEFE DE TED.

habana libre
FINALMENTE, DESPUÉS DE COMER NOS LLEVARON A NUESTRO HOGAR TEMPORAL, EL HOTEL VEDADO. A DOS CUADRAS DE LA RAMPA, ESTABA EN EL CORAZÓN DEL *DOWNTOWN* DE LA HABANA, A LA SOMBRA DEL HABANA LIBRE, EL ANTIGUO HOTEL HILTON.
HOTEL VEDADO
TAXI
¡FOO! ¡QUE ASCO! ¡NO ME LO VOY A COMER!
PÓRTATE BIEN, NIÑA BRUTA. ESO ES LO QUE HAY.
CON SU PERMISO, ¿QUÉ TIENE PARA COMER?
LO SIENTO, COMPAÑERA, SE ACABÓ TODO MENOS EL CAFÉ Y PARA ESO HAY COLA ALLÁ.
NO HABÍA MERIENDA, CASI NADA DE COMIDA EN LAS TIENDAS. COMÍAMOS LO QUE NOS SERVÍAN EN NUESTROS PLATOS TRES VECES AL DÍA EN EL HOTEL, LO CUAL ERA UN PRIVILEGIO COMPARADO CON LO POCO QUE LOS CUBANOS RECIBÍAN. SUERTE PARA MÍ. ***¡PERDÍ 30 LIBRAS EN CINCO MESES SIN ESFUERZO ALGUNO!***
EL SISTEMA DE RACIONAMIENTO SE INICIÓ EL 12 DE MARZO, 1962, DOS SEMANAS DESPUÉS DE NUESTRA LLEGADA.
Nº 772635
NUCLEO
C
CONTROL DE VENTAS PARA PRODUCTOS ALIMENTICIOS
ESTA LIBRETA NO CONSTITUYE UN DOCUMENTO DE IDENTIFICACION

PARTIDO SOCIALISTA POPULAR
OFICINAS
NACIONAL Y PROVINCIAL
Joaquín Ordoqui
Edith García Buchaca
Aníbal Escalante
TED COMENZÓ A TRABAJAR COMO INGENIERO ELECTRÓNICO PARA JUCEPLAN (JUNTA CENTRAL DE PLANIFICACIÓN), ENCARGADA DE LA ILUSTRE TAREA DE DISEÑAR LA POLÍTICA ECONÓMICA E INDUSTRIAL DEL NUEVO GOBIERNO REVOLUCIONARIO, BAJO EL MINISTERIO DE INDUSTRIAS. SU MINISTRO DEL MOMENTO ERA, EN UNA DE SUS MUCHAS ENCARNACIONES, CHE GUEVARA.
A TED LO ASIGNARON A UN DEPARTAMENTO PEQUEÑO LLAMADO "ELECTRÓNICA Y ELECTRICIDAD" CON LA MISIÓN DE CREAR Y MANTENER UN LABORATORIO ELECTRÓNICO. ÉL SE MOVÍA ENTRE MUCHOS MINISTERIOS Y FÁBRICAS PARA IDENTIFICAR LAS NECESIDADES DE PIEZAS DE REPUESTO PARA MAQUINARIA SOVIÉTICA, CHINA, CHECA, HÚNGARA Y OTRAS, MÁS ANTIGUAS QUE LAS DE LOS EEUU. EN SU LABOR DE PROCURAR ESAS PIEZAS, SE CODEABA CON DIPLOMÁTICOS DE TODOS LOS PAÍSES SOCIALISTAS.
¡TOVARICH! NECESITAMOS INTERRUPTORES DE CONTROL DE MOTORES PARA LA FÁBRICA DE PELOTA. CUALQUIER AYUDA QUE NOS PUEDA DAR SERÁ MUY AGRADECIDA!
LENORE ENSEGUIDA ENCONTRÓ TRABAJO ENSEÑANDO INGLÉS Y ALEMÁN EN EL MINISTERIO DE RELACIONES EXTERIORES, DONDE ENFURECIÓ A MUCHOS DE SUS ALUMNOS INFLUYENTES AL RECRIMINARLES POR SU PEREZA Y FALTAS EN EL APRENDIZAJE.
A LOS NIÑOS LOS DEJARON CON ROSITA, UNA CUIDADORA QUE APARENTEMENTE NO HABLABA INGLÉS. NIKKI Y KEVIN LE TENÍAN PÁNICO, CON UNA PIZCA DE HUMOR ASÍ LO COMENTABA LENORE EN SU CORRESPONDENCIA CON SU MADRE.
¡A VER SI LLEGAN PUNTUALMENTE MAÑANA!
¡MAMÁ, NO NOS DEJES A SOLAS CON ELLA!
LA LUCHA CONTRA
EL SECTARISMO
M-26-7
Directorio Estudiantil Revolucionario
José Antonio Echeverría
EL APORTE DEL DIRECTORIO REVOLUCIONARIO EN LA LUCHA CONTRA LA TIRANIA
(EL ATAQUE A PALACIO, Y EL ESCAMBRAY)
Notas de MARIO G. DEL CUETO

UN VASITO DE OSTIONES, POR FAVOR.

EL INSTITUTO PRE-UNIVERSITARIO DEL VEDADO

DESPUÉS DE UNA SEMANA EN CUBA, LENORE ANUNCIÓ QUE YA ERA HORA DE ASISTIR A LA ESCUELA Y ME LLEVÓ AL PREUNIVERSITARIO MÁS CERCANO, A UNOS 15 MINUTOS DE NUESTRO HOTEL, EL INSTITUTO PRE-UNIVERSITARIO DEL VEDADO "SAÚL DELGADO", EN LA CALLE 25, A POCAS CUADRAS DE LA RAMPA.

¿Y ESOS QUÉ SON?
MIEMBROS DE TORTUGA...
¿PARA QUÉ?
PARA LA VIRILIDAD.

INICIÉ LAS CLASES UN MES COMENZADO EL SEMESTRE, ARMADA SOLAMENTE CON MI ESPAÑOL DE LA SECUNDARIA EN CALIFORNIA. PERO YA TENÍA LA EXPERIENCIA DE SOBREVIVIR EN LA ESCUELA EN UN PAÍS AJENO. HABÍAN CLAUSURADO TODAS LAS ESCUELAS DEL PAÍS EL AÑO ANTERIOR DEBIDO A LA CAMPAÑA DE ALFABETIZACIÓN. POR TANTO NO RESULTÉ TENER MÁS EDAD QUE LOS DEMÁS, A PESAR DE REPETIR EL DÉCIMO AÑO, EL GRADO MAYOR QUE SE OFRECÍA AQUÍ ENTONCES.

AY, DIOS... NO HAY LIBROS. TODO SERÁ TOMANDO NOTAS Y NO ENTIENDO NADA. HABLAN TAN RÁPIDO.
H_2SO_4

¡PSS PSS PSS!

MIS COMPAÑEROS DE AULA, DE 16 A 19 AÑOS DE EDAD, MIRABAN AMABLEMENTE Y CON CURIOSIDAD A ESTE FENÓMENO DE OTRO PLANETA, LA AMERICANA. NADA DE INTERÉS POLÍTICO, SOLO "CUÉNTANOS DE LAS ESTRELLAS DE CINE EN LOS EEUU."

¿ME DEJAS COPIAR TUS NOTAS? NO ENTIENDO NADA.
CÓMO NO, SIN PROBLEMA. NOSOTRAS TE AYUDAMOS.

¡COCHINO!

MARITZA Y RAMONA SE CONVIRTIERON EN MIS PROTECTORAS. ME AMPARABAN Y NOS HICIMOS AMIGAS.

VAMOS, REPITE ESTO: ¡MARICÓN!

CADA NOCHE ESTUDIABA HASTA TARDE. DESPUÉS DE TRADUCIR AL INGLÉS MIS NOTAS COPIADAS, ESTUDIABA PARA LOS EXÁMENES. PARA MI CLASE DE LITERATURA ESPAÑOLA AL MENOS SÍ TENÍA UN LIBRO DE TEXTOS. FUE TODO UN SUPLICIO.

NO JODAN, DÉJENLA TRANQUILA.

1º DE MAYO, 1962
LA PLAZA DE LA REVOLUCIÓN
¡NUESTRO PAÍS ES UN PAÍS... DONDE HA CESADO LA EXPLOTACIÓN CAPITALISTA, Y DONDE TIENE LUGAR UNA PROFUNDA REVOLUCIÓN SOCIAL!
DECIDÍ IR CON MARITZA Y RAMONA AL ENORME DESFILE DEL 1º DE MAYO, NO CON MI ESCUELA, NO CON LOS ENTREMETIDOS DE LA JUVENTUD COMUNISTA, NI TAMPOCO CON MI FAMILIA. QUISIMOS ESTAR LIBRES Y POR NUESTRA CUENTA.
A TED Y LENORE LOS HABÍAN INVITADO A LA TRIBUNA, A UN ESCALÓN DEBAJO DEL ESTRADO DONDE FIDEL SE ENCONTRABA JUNTO CON EL CHE, DORTICÓS, CELIA SÁNCHEZ Y DEMÁS LUMINARIAS QUE PRESIDÍAN LA CONCENTRACIÓN DE MÁS DE UN MILLÓN CIUDADANOS ABAJO.
MAS
PRODUCCIÓN
¡MIRA! ¡ALLÍ ESTÁ EL CHE!
¡VAMOS, VE A SALUDARLO!
BUENO, NIÑA, ¿Y TU NOMBRE CUÁL ES?
¡INCREÍBLE ESTO!
PARA MÍ ES UNA MIERDA.
¿PERO POR QUÉ? ¿NO ERES REVOLUCIONARIA?
NO. MI PAPÁ ERA POLICÍA ANTES. ME CONTÓ COSAS...

¡SACRIFÍCIO NO ES FRACASO! ¡SACRIFÍCIO ES TRIUNFO! ¡SACRIFÍCIO ES VICTORIA!
¡VIVA LA REVOLUCIÓN PROLETARIA! ¡VIVA EL PODER DE LOS TRABAJADORES! ¡PATRIA O MUERTE! ¡VENCEREMOS!
301

TODA LA CIUDAD SE ENCONTRABA CERRADA, INCLUSO LOS RESTAURANTES. EN EL HOTEL VEDADO QUEDABA UN MÍNIMO DE EMPLEADOS. EL 1º DE MAYO ERA ALGO COMO EL 4 DE JULIO EN LOS EEUU, SÓLO QUE CON DESFILE DE TANQUES Y BRIGADAS DE TRABAJADORES, SOLDADOS Y MILICIANOS.

AQUEL DÍA FUE EL PRIMERO DE MUCHOS QUE PASÉ EN CASA DE MARITZA. RÁPIDAMENTE ME ACOGIERON Y ME SENTÍ INTEGRADA EN SU VIDA COTIDIANA. ME ENTERÉ DE QUE LA REALIDAD PARA LOS CUBANOS POBRES ERA MUY DIFERENTE AL MUNDO PRIVILEGIADO DE LOS TÉCNICOS EXTRANJEROS Y LOS DIPLOMÁTICOS.

TIEMPOS MODERNOS
PRONTO ME DI CUENTA DE QUE ALGO RARO PASABA. MARITZA EVITABA ESTAR A SOLAS CONMIGO Y YO SENTÍA UNA EXCITACIÓN CALLADA, UNA ELECTRICIDAD EN EL AIRE CADA VEZ QUE ESTÁBAMOS JUNTAS... UN DÍA INSISTÍ EN IR AL CINE CON ELLA DESPUÉS DE LAS CLASES. PONÍAN TIEMPOS MODERNOS DE CHARLIE CHAPLIN EN RADIOCENTRO Y YO QUERÍA VER LA PELÍCULA CON ELLA. NO TENÍA IDEA DE LO QUE PASABA PERO QUISE DESTAPARLO.
RADIOCENTRO
CMQ
TIEMPOS MODERNOS CHARLES CHAPLIN
TIEMPOS MODERNOS
SÉ QUE ESTO TE VA A GUSTAR...
A MITAD DE LA PELÍCULA, MARITZA LENTAMENTE ME TOMÓ DE LA MANO Y SIN DECIR PALABRA ALGUNA, SUAVEMENTE ME FROTÓ LA PALMA Y LOS DEDOS DE LA MANO, COMO UN ACTO DE MAGIA.
PETRIFICADA, ALTERADA, NO MOVÍ MÚSCULO ALGUNO. VIMOS ESA PELÍCULA TRES VECES SEGUIDAS ASÍ.
CUANDO AL FIN NOS FUIMOS, YO SABÍA... PERO SIN TENER NOMBRE PARA ESTO, SIN PISTA, SIN HISTORIA, SIN NINGÚN REFERENTE, SOLO QUEDÓ CLARO QUE QUERÍA ESTO Y NO PODÍA RETROCEDER.

MARITZA SABÍA PERFECTAMENTE LO QUE HACÍA. TENÍA 19 AÑOS, TRES MÁS QUE YO Y HABÍA TENIDO UNA RELACIÓN PREVIA. ME GUIÓ POR LAS AGUAS PELIGROSAS DE LA VIDA LESBIANA EN LA HABANA. BUSCAMOS LA FORMA DE ESTAR A SOLAS EN MI HOTEL O EN SU APARTAMENTO.

¿ASÍ QUE POR ESO EVITABAS SIEMPRE QUE ESTUVIÉRAMOS A SOLAS?
PENSÉ QUE TE PONDRÍAS BRAVA SI SUPIERAS CÓMO ME SIENTO Y QUE NO LO PODRÍA ESCONDER.
¿Y POR QUÉ ME IBA A ENOJAR?
AQUÍ LA COSA ESTÁ MUY MALA PARA LAS INVERTIDAS. TIENE QUE SER UN SECRETO.
SI LA GENTE NOS VE JUNTAS MUCHAS VECES, VAN A EMPEZAR A HABLAR.
HAY QUE NEGARLO TODO. RECUERDA ESO SIEMPRE.
Y CUIDADO CON FULANO Y MENGANO. SON LOS SOPLONES DEL AULA.
NO TARDÓ MUCHO EN LLEGAR EL MIEDO Y LA PARANOIA.
HASTA LENORE SE DIO CUENTA.
¿POR QUÉ PASAS TANTO TIEMPO CON MARITZA? NO TIENES NADA EN COMÚN CON ELLA. ELLA ES TAN... PRIMITIVA.
¡DÉJAME TRANQUILA! ¡ES MI AMIGA!
QUÉ DESASTRE CUANDO UN DÍA LENORE LLEGÓ TEMPRANO Y NOS COGIÓ INFRAGRANTI EN MI CUARTO.
THE WELL OF LONELINESS
NO DIJO NI UNA PALABRA. SÓLO ME LANZABA MIRADAS ASESINAS DE CUANDO EN CUANDO. MISTERIOSAMENTE, UN LIBRO EXTRAÑO Y RIDÍCULO APARECIÓ DE PRONTO EN EL LIBRERO DE TED, DONDE YO SOLÍA BUSCAR LIBROS.

AFORTUNADAMENTE, LENORE PRONTO SE DISTRAJO CON LA MUDANZA A NUESTRO NUEVO APARTAMENTO EN MIRAMAR. NOS ASIGNARON UN MAGNÍFICO Y LUJOSO HOGAR EN UN EDIFICIO DE LOS AÑOS 50, CON APARTAMENTOS DE DOS PISOS, BALCONES AMPLIOS, CUARTO DE CRIADA Y TRES DORMITORIOS CADA UNO. HABÍA PERTENECIDO A UN VIEJO TRABAJADOR ESPAÑOL, QUIEN CON SUS AHORROS LO COMPRÓ PARA VIVIR DE LAS RENTAS EN SU RETIRO. CUANDO LA REVOLUCIÓN DECRETÓ LAS LEYES DE LA REFORMA URBANA, PERDIÓ SU EDIFICIO. AHORA ERA EL JARDINERO, VIVÍA EN UNA CASUCHA EN EL FONDO Y CRIABA CONEJOS PARA COMER.

TED Y LENORE PRONTO DESCUBRIERON LA ZONA DE RECREO DE LOS TÉCNICOS DEL CAMPO SOCIALISTA Y OTROS PROVENIENTES DE PAÍSES CAPITALISTAS QUE VINIERON A TRABAJAR PARA LA REVOLUCIÓN.
EL HOTEL SIERRA MAESTRA DABA AL MAR Y SE ENCONTRABA A POCAS CUADRAS DE LA CASA. TENÍA UN BAR LLENO, UNA PISCINA ENORME, SILLONES DE PLAYA, Y ARENA BLANCA. AQUÍ, BAJO EL SOL, SE RELAJABA CON SUS CUBA LIBRES LA CREMA Y NATA DE LA IZQUIERDA INTERNACIONAL, RESIDENTE Y BLANCA.
¡OH, MAURICIO, ¡CUÉNTANOS DE TUS AVENTURAS Y DE CÓMO EL CHE TE TRAJO A CUBA! ¡EDITH NOS PROMETIÓ QUE LO HARÍAS!
MAURICE HALPERIN, UN EXPATRIADO CONOCIDO EN AQUEL TIEMPO, FRECUENTABA ESTE CÍRCULO, HASTA QUE SE DESENCANTÓ CON LA REVOLUCIÓN Y SE FUE DEL PAÍS. EL CHE LO CONOCIÓ EN MOSCÚ Y LO INVITÓ A VIVIR Y TRABAJAR EN LA HABANA COMO ECONOMISTA EN LA UNIVERSIDAD.

LENORE ESCRIBÍA CON FRECUENCIA A SU MADRE EN ALEMANIA.

Querida Mamá,

Parece que Cuba está llena de bacterias y virus malos... Kevin ha tenido amigdalitis tres veces desde que llegamos, Nikki tiene una bronquitis fuerte, ambos niños tienen parásitos y yo tengo una infección dolorosa en la vejiga. Pero no nos faltan las medicinas necesarias. Los niños reciben penicilina, yo tetraciclina y tenemos buenos medicamentos para los parásitos. Aparentemente todo residente nuevo se enferma en los primeros meses, hasta que se habitúan al clima. A Ted sólo le dio una

NIKKI, AHORA CON SIETE AÑOS DE EDAD, ASISTÍA A LA ANEXA, LA ESCUELA PRIMARIA DE LA UNIVERSIDAD, ADONDE TAMBIÉN IBA HILDITA, LA HIJA DE CHE GUEVARA. POR LA MAÑANA A NIKKI Y A HILDITA LAS RECOGÍAN EN UN MICRO ÓMNIBUS Y RETORNABAN DE LA MISMA FORMA. NIKKI ODIABA ESTA ESCUELA...

¡AY, PERO QUE GRINGUITA MÁS LINDA TÚ ERES, TAN GORDITA Y CON LOS OJOS TAN AZULES!!!!!

CADA DÍA AL LLEGAR TED A CASA, SE LE SERVÍAN SUS COCTELES Y UNA MERIENDA. LENORE EMPLEÓ UNA CRIADA PARA COCINAR Y LIMPIAR POR LAS MAÑANAS MIENTRAS ELLA DABA CLASES DE INGLÉS Y ALEMÁN. AMBOS IBAN AL "CLUB" CADA FIN DE SEMANA Y TODAS LAS VECES POSIBLES DURANTE LA SEMANA. SU VIDA SOCIAL ERA MUY ACTIVA.

TENEMOS QUE EMPEZAR A ENVIAR INFORMES A NUESTROS AMIGOS Y CAMARADAS EN LOS EEUU. *¡LA PRENSA FASCISTA LOS TIENE ENGAÑADOS!*
TE LO VOY A DICTAR...

Queridos amigos,

Resulta muy extraño escuchar a Miami por la radio y darnos cuenta de que la fuente de la basura que oímos está tan cerca: los anuncios comerciales, el bla-bla de Kennedy, la propaganda de odio. Aquí nos parece increíble que haya gente decente, honrada, capaz de dejarse engañar por Stevenson, y hasta de dar su voto a un engendro como Kennedy.

En estos días nuestros amigos latinoamericanos se conmocionan con cada noticia de la actividad guerrillera o por las crisis en sus respectivos países de origen. Comparten las noticias con sus amigos en las montañas, con los obreros en huelga, y con los estudiantes en el continente que se despierta. Se podrán imaginar lo que piensan de las felicitaciones de Kennedy -otra vez prematuras- a su nuevo carnicero favorito, el dictador venezolano, Betancourt. Pero, para orgullo nuestro, nosotros sí podemos señalar otras actividades en los EEUU: las manifestaciones por la paz y la lucha por los derechos de los negros.

¡Ustedes, muchachos, en ese país atrasado tienen un largo camino por delante hasta ponerse

RISUEÑO, EL PEQUEÑO KEVIN ASISTÍA A UN KINDERGARTEN CERCANO, Y DESPUÉS DE LA ESCUELA RECORRÍA EL VECINDARIO. NO PARECÍA SUFRIR POR LA ATENCIÓN QUE RECIBÍA POR SER UN AMERICANITO Y MUY CONTENTO, SE APARECÍA EN LA PUERTA DE LAS CASAS PARA HACER VISITAS. ESTO LO LLEVÓ TAN LEJOS QUE UN DÍA LA POLICÍA LO RECOGIÓ Y TERMINARON POR LLEVARLO A CASA.

A NIKKI SE LE DABAN FIEBRES INTENSAS. TODAVÍA SUFRÍA CON SUS PESADILLAS Y ERA SONÁMBULA. ELLA Y LENORE PELEABAN TODOS LOS DÍAS. LENORE SOLÍA ESTAR TENSA. AUNQUE LA VIDA ERA BUENA, EL SUELDO DE TED A VECES NO LLEGABA DURANTE MESES Y ELLA TUVO QUE PEDIR PRESTADO DE LOS AMIGOS. COMPRABA COMIDA EN LA TIENDA PARA TÉCNICOS EN EL HOTEL, DONDE NO SE PERMITÍA ENTRAR A LOS CUBANOS. LOS EXTRANJEROS RECIBÍAMOS RACIONES ESPECIALES, GENEROSAS.

A LENORE LE DABAN FRECUENTES ARRANQUES DE CÓLERA, NO SOLO CON NIKKI, SINO CON TED Y TAMBIÉN CONMIGO. AFORTUNADAMENTE ESTABA EL CLUB SIERRA MAESTRA DONDE PASABAN LA MAYOR PARTE DE SU TIEMPO LIBRE.

LOS NORTEAMERICANOS AMIGOS DE CUBA

EN ABRIL DE ESE AÑO, CUANDO FIDEL LANZÓ SUS ATAQUES CONTRA LOS COMUNISTAS DE LA VIEJA GUARDIA, TED OFRECIÓ SU INTERPRETACIÓN A SUS AMIGOS EN EL NORTE.

LOS NORTEAMERICANOS AMIGOS DE CUBA VINO A SER LA NUEVA PLATAFORMA DONDE TED PUDO DAR VOZ A SUS IDEAS Y MOSTRAR SU COMPROMISO CON LA REVOLUCIÓN CUBANA. EL ICAP FUE EL VEHÍCULO.

Queridos amigos,

Durante las últimas semanas se ha discutido el discurso de Fidel y luego el de Blas Roca y otros acerca de la ORI y el sectarismo. Aunque algunos pocos ven el ataque de Fidel contra Aníbal Escalante como un ataque general contra los viejos dirigentes comunistas y contra el comunismo en sí, la interpretación más general es que la ORI se ha fortalecido y pronto llegará a ser un efectivo partido comunista de masas. Esta perspectiva ha sido fortalecida por la reciente decisión de los antiguos Jóvenes Rebeldes de cambiar su nombre por Jóvenes Comunistas por sugerencia de Fidel. Es maravilloso ver la aceptación general y el apoyo activo de las ideas marxistas-leninistas, y no de un simple nacionalismo o revolucionario. Creo que, a su manera, Kennedy merece tanto crédito como Fidel. Por cierto, Lenore está preparando una traducción del discurso de Fidel sobre la ORI* solicitado por el corresponsal en La Habana de un periódico de renombre en Nueva York. Si tienen oportunidad de leerlo, verán el porqué de la devoción hacia un dirigente al que no le interesa esa adoración, y el cual comprende que los dirigentes cubanos, él inclusive, cometen errores y necesitan que se lo recuerden desde abajo.

¡COMPAÑEROS, TENEMOS QUE DENUNCIAR LAS MENTIRAS YANQUIS SOBRE CUBA Y DECLARAR AL MUNDO QUE NO HAY TROPAS EXTRAJERAS EN EL SUELO CUBANO!

LAS DIVISIONES INTERNAS DE ESTE GRUPO DE EXPATRIADOS REPRODUJERON LAS MISMAS DIVISIONES QUE EN LA "VIEJA IZQUIERDA" DE LOS EEUU. HABÍA COMUNISTAS DEL PARTIDO ALIADOS CON "COMPAÑEROS DE VIAJE", EX MIEMBROS DEL PARTIDO COMO TED, FILO ESTALINISTAS. LA MAYORÍA DE LOS AMIGOS DE TED Y LENORE VENÍAN DE ESTA FACCIÓN. LOS "ODIOSOS TROTSKISTAS" ESTABAN REPRESENTADOS POR TRES MUJERES, A LAS CUALES LA FACCIÓN DE TED Y LENORE LLAMABAN "LAS TRES BRUJAS." Y HABÍA QUIENES NO SE IDENTIFICABAN CON UNA NI OTRA BANDA.

HOY VAMOS A VOTAR PARA ESCOGER NUESTROS NUEVOS DIRIGENTES. ¡POR FAVOR, LEVANTEN LA MANO LOS QUE APOYEN A TED PARA LA PRESIDENCIA! ¡GRACIAS!
¡ESTALINISTA SUCIO...!

LOS MAOÍSTAS LLEGARÍAN MÁS TARDE EN OTRA OLA DE NORTEAMERICANOS, HOSTILES HACIA TODOS LOS DEMÁS. Y HABÍA ALGUNOS IZQUIERDISTAS VIEJOS, COMO AGNES, CASADA EN LOS EEUU CON UN SINDICALISTA CUBANO, QUIEN LA LLEVÓ A CUBA CUANDO TRIUNFÓ LA REVOLUCIÓN.

¡CONNIE! ¡CUÁNTO ME ALEGRA VERTE AQUÍ! ¿DÓNDE TE HAS METIDO?

NO ME FASTIDIES, BOB. ME ARRASTRARON HASTA AQUÍ. PREFIERO ESTAR CON MIS AMIGOS.

*ORI: ORGANIZACIONES REVOLUCIONARIAS INTEGRADAS.

AGOSTO 24, 1962— NOS LLEGÓ LA NOTICIA DE QUE LA NOCHE ANTERIOR EL HOTEL SIERRA MAESTRA HABÍA SIDO ATACADO CON ARTILLERÍA DESDE DOS BUQUES ANCLADOS A UN KILÓMETRO DE LA COSTA.
¡VAMOS, KEVIN! NO LES TENGAMOS MIEDO. VAMOS A INSPECCIONAR EL HOTEL.
¡AY, DIOS! ¿OYERON LOS TIROS?
¡UNA BALA ENTRÓ POR UN APARTAMENTO DE LOS RUSOS Y POR POCO MATA A UNA NIÑITA!
¡MIRA! ¡ALLÍ ENTRARON LAS BALAS! ¡HIJOS DE PUTA! ¡NO PASARÁN!
¡MAMÁ! ¿LOS YANQUIS NOS VIENEN A MATAR A TODOS?
JUAN MARINELLO, EL RECTOR DE LA UNIVERSIDAD Y CÉLEBRE VIEJO COMUNISTA, VIVÍA EN EL HOTEL SIERRA MAESTRA Y DABA EN ESTE MOMENTO UNA CONFERENCIA DE PRENSA EN EL LOBBY DEL HOTEL.
VEN ACÁ, MUCHACHITO, ¿DE DÓNDE TÚ ERES?
AQUEL VERANO, LOS EEUU LANZARON AVIONES DE ESPIONAJE U-2 SOBRE CUBA, ALARMADOS POR EL VOLUMEN DE TRÁFICO MARÍTIMO SOVIÉTICO. EN SEPTIEMBRE ESTALLÓ LA NOTICIA: LA URSS HABÍA ENVIADO MISILES BALÍSTICOS A CUBA.
ПОАТАВА

LA CRISIS DE OCTUBRE

CADA DÍA DE ESE SEPTIEMBRE VIMOS BARCOS DE GUERRA EN EL HORIZONTE Y TEMÍAMOS QUE OTRA INVASIÓN ESTUVIERA POR PRODUCIRSE, COMO EL AÑO ANTERIOR, EN PLAYA GIRÓN EN LA BAHÍA DE COCHINOS.

Queridos amigos,
Permítanme informarles sobre el llamado
'estado policíaco' en que vivimos. Hace poco
conocimos a un joven policía cubano muy amable
(que hablaba inglés perfectamente) quien nos
contó cómo trabaja la policía aquí. Debido a los
recuerdos terribles del pueblo de las muchas
acciones arbitrarias e ilegales bajo Batista, los
nuevos policías trabajan bajo estrictas órdenes de
respetar la privacidad y libertad de la gente, muy
por encima del comportamiento de la policía
americana. Por ejemplo, sospecharon que se
emitían transmisiones contrarrevolucionarias e
ilegales hacia el exterior desde una casa particular, pero no tenían pruebas. Por lo tanto no
pudieron entrar y registrar el lugar. La casa
sigue bajo vigilancia pero sin ser registrada. Se ha
abolido al uso de esposas, para no lastimar la dignidad incluso de los criminales. En general, se ve
a muy pocos policías; los policías de tráfico son

LENORE AHORA ERA CORRESPONSAL PARA UN PEQUEÑO PERIÓDICO DE ALEMANIA OCCIDENTAL, *DAS ANDERE DEUTSCHLAND.*

EN MI ESCUELA, LA VIDA SEGUÍA IGUAL. ESTUDIÁBAMOS SIN PENSAR EN EL ABISMO NUCLEAR QUE AMENAZABA, MIENTRAS UNIDADES DE MILICIA LEVANTABAN BARRERAS DE SACOS DE ARENA Y POSICIONES ANTIAÉREAS FRENTE AL MAR.

MIENTRAS TANTO, EL DÍA 11 DE OCTUBRE, EN VÍSPERAS DE LA PRESUMIBLE CONFRONTACIÓN ENTRE LOS EEUU Y CUBA, LA VIDA SE TORNÓ RADICALMENTE PEOR PARA CIERTA PARTE DE LA POBLACIÓN DE LA HABANA. SOBRE ESTE EVENTO EL ICAP NO OFRECIÓ COMUNICADOS DE PRENSA.

LA NOCHE DE LAS TRES Ps
PROSTITUTAS, PROXENETAS Y PÁJAROS
¡SUÉLTENME! ¿¡CON QUÉ DERECHO!?
¡POW!
¡MARICONES DE MIERDA!
¡BAM!
¡AQUÍ TODO EL MUNDO VA PRESO!
ESTA FUE LA PRIMERA GRAN REDADA DE JÓVENES CONSIDERADOS PERVERTIDOS Y DESVIADOS QUE EL GOBIERNO DESATÓ EN LOS AÑOS 60. LA REVOLUCIÓN ERA DE Y PARA AQUELLOS QUE CONFORMABAN EL IDEAL MACHISTA. LOS "INVERTIDOS" ERAN SIMPLEMENTE UNA ESPECIE MÁS DE CONTRARREVOLUCIONARIOS.
OCTUBRE 14— UN AVIÓN AMERICANO DE ESPIONAJE U-2 TOMÓ FOTOS DE LAS INSTALACIONES SOVIÉTICAS PARA EL LANZAMIENTO DE COHETES NUCLEARES. Y ESTALLÓ LA CRISIS.

TED ESTABA MUY CONTENTO AL SABER QUE AHORA LOS COHETES SE ENCONTRABAN EN CUBA. PARTICIPÓ EN CONFERENCIAS DE PRENSA Y TRANSMISIONES RADIALES.
NO SE IMAGINAN EL ALIVIO QUE SENTIMOS AL RECIBIR LA NOTICIA DE QUE LOS RUSOS ENVIARÍAN ARMAS A CUBA. DURANTE DOS SEMANAS ESTUVIMOS CONVENCIDOS DE QUE LA PROBABILIDAD DE UNA INVASIÓN ERA ENORME.
MUERTE
EN EL AIRE
RADIO HABANA CUBA
LAS IMPLICACIONES DE LA DECLARACIÓN SOVIÉTICA SON TREMENDAS, NO SÓLO PARA CUBA, QUE AHORA SE HA VUELTO UNO DE LOS LUGARES MÁS SEGUROS DEL PLANETA, SINO PARA EL MUNDO ENTERO.
DAMOS LA BIENVENIDA AL ESPECTACLAR PRONUNCIAMIENTO EMITIDO POR LOS DIRIGENTES SOVIÉTICOS. CON UNAS POCAS PALABRAS DE FIRMEZA SE VOLVIÓ OBSOLETA TODA LA POLÍTICA DE MAXWELL TAYLOR SOBRE LA "GUERRA LIMITADA", LAS "GUERRITAS LOCALES", FÁCILES PARA SERVIR A LOS "INTERESES VITALES" DEL CAPITALISMO DE LOS EEUU, ASÍ COMO LA "REPRESALIA MASIVA" DEL VIEJO JOHN FOSTER DULLES.

OCTUBRE 22— EL PRESIDENTE KENNEDY ANUNCIÓ LA INSTALACIÓN DE LOS COHETES, EXIGIÓ QUE FUERAN RETIRADOS, Y PROCLAMÓ UN BLOQUEO NAVAL.

OCTUBRE 25— EL EMBAJADOR ADLAI STEVENSON MOSTRÓ FOTOS AÉREAS AL CONSEJO DE SEGURIDAD DE LAS NACIONES UNIDAS.

SE DESPLEGARON 36 COHETES EN SEIS SITIOS DISTINTOS. CADA COHETE LLEVABA UN PROYECTIL 70 VECES MÁS PODEROSO QUE LA BOMBA DE HIROSHIMA.

NEW YORK'S PICTURE NEWSPAPER

JFK: Blast Reds If Castro Attacks

PARA NOSOTROS, LA GENTE DE A PIE EN LA HABANA, LA ATMÓSFERA ERA SORPRENDENTEMENTE OPTIMISTA. EN LOS EEUU NUESTROS AMIGOS TENÍAN PESADILLAS POR EL TEMOR A UNA ANIQUILACIÓN TOTAL; AQUÍ LA CONSIGNA PARA TODOS ERA "¡PATRIA O MUERTE!
¡COMPAÑEROS! ¡SOY SU JEFE DE BRIGADA! ¡HAN DE PRESENTARSE AQUÍ CADA MAÑANA A LAS 8 A.M.!
LOS EXTRANJEROS DEL CAMPO CAPITALISTA FUERON ORGANIZADOS POR EL ICAP EN UNA BRIGADA INTERNACIONAL. ME ALISTÉ, A LOS 17 AÑOS, JUNTO CON UNOS CIEN LATINOAMERICANOS.
LA LECCIÓN DE HOY: APRENDERÁN A DESARMAR Y LIMPIAR ESTE RIFLE SEMIAUTOMÁTICO.
¡1, 2, 3, 4! ¡ABAJO LOS IMPERIALISTAS! ¡1, 2, 3, 4!
APRENDIMOS CÓMO MARCHAR ARRIBA Y ABAJO EN EL PARQUEO DE UN HOTEL GRANDE, Y A DISPARAR EN UN CAMPO DE TIRO CERCANO. YO TENÍA UNA PUNTERÍA BASTANTE DECENTE.
¡POW!

¡NIKITA MARIQUITA! ¡LO QUE SE DA NO SE QUITA!
¡BOLOS DE MIERDA!
The Washington Post
FINAL
Reds Agree to Scrap Bases in Cuba; U. S. Greets Move as Tension Eases; Thant, Aides Go to Havana Tuesday
EL RESTO DEL MUNDO CELEBRÓ EL FIN DE ESTE INCIDENTE, CUYO RIESGO ERA LA POSIBLE ANIQUILACIÓN NUCLEAR DEL PLANETA, PERO EN CUBA EL SENTIMIENTO FUE DE FRUSTRACIÓN Y ENOJO.
LA VIDA SE VOLVIÓ "NORMAL" DE NUEVO. TED Y LENORE ENVIARON INFORMES ARDIENTES A LOS EEUU MEDIANTE PROGRAMAS DE RADIO Y BOLETINES IMPRESOS.
Queridos amigos,
El gobierno nos ha entregado dos magníficos apartamentos en áticos, uno en el hotel ICAP y otro, llamado el Club de la Torre, en un enorme edificio residencial. Ambos, los clubes más elegantes y exclusivos de La Habana, tienen salas hermosas y lujosas. El Club de la Torre tiene dos restaurantes, uno para solteros, donde se puede cenar muy bien a buen precio. Nosotros hemos ido como huéspedes de un soltero (dos de nuestros amigos solteros se han casado con chicas cubanas, pero siempre tenemos a Joe North). El otro restaurante es caro pero maravilloso. Este y el bar, un sueño de bar, se encuentran a 30 pisos por encima de la ciudad y el mar, rodeados de ventanas, con vistas magníficas desde cada mesa. Naturalmente hemos ido frecuentemente; siempre hay cerveza, lo cual no siempre es accesible en las tiendas y uno siempre puede encontrarse allí con amigos y conocidos. También van los diplomáticos,

QUERIDOS AMIGOS,
...ME LLAMÓ LA ATENCIÓN UN ERROR QUE APARECIÓ EN UN NÚMERO RECIENTE DEL *MONTHLY REVIEW,* UNA PUBLICACIÓN QUE SUELE TENER UNA COBERTURA MUY CORRECTA Y CUIDADOSA SOBRE EVENTOS EN CUBA. MENCIONAN ALGO SOBRE HABER VENCIDO "UNA CRISIS ECONÓMICA". HE ESTUDIADO CONSIDERABLES DATOS ECONÓMICOS EN JUCEPLAN Y NO ENCUENTRO RASTRO ALGUNO DE DIFICULTADES DE ESE TIPO, NI LO HE VISTO DE CUALQUIER OTRA FORMA...
RADIO HABANA CUBA
¡OJALÁ NUESTROS AMIGOS 'LIBERALES' SUPIERAN CÓMO ES VIVIR EN UN PAÍS QUE TIENE QUIZÁS DEMASIADA LIBERTAD INDIVIDUAL!

Tang
TANG... ¿QUE SERÁ ESTO? *¡HUMM! ¡POLVO ANARANJADO!*
¡JA! ¡MIRA ESTO! HUMM...TING...UNA CREMA PARA LA PIEL...
PRE- UNIVERSITARIO DE VEDADO

EN DICIEMBRE EL GOBIERNO CUBANO REALIZÓ UN CANJE CON EL GOBIERNO NORTEAMERICANO DE PRESOS POLÍTICOS DE PLAYA GIRÓN POR COMIDA Y MEDICINAS. ALGO DE ESTE MANÁ DEL CIELO LLEGÓ HASTA MI ESCUELA PREUNIVERSITARIA Y RECIBÍ UNA PEQUEÑA RACIÓN.

EN MI SEGUNDO AÑO DEL PRE HICE AMISTAD CON UNA COMPAÑERA DE AULA, SILVIA. ELLA ASUMIÓ LA TAREA DE SALVARME DEL MAL.
CONNIE, TIENES QUE ROMPER CON MARITZA.
ERES UNA AMERICANA, NO COMPRENDES.
ELLA ES UNA DE ESAS... UNA HOMOSEXUAL.
NO SÉ DE QUÉ HABLAS. ELLA ES AMIGA MÍA, MÁS NADA.
ES UNA MALA INFLUENCIA. LA GENTE SE HA PUESTO A HABLAR.

DECIDÍ DESAFIAR LOS CONSEJOS DE SILVIA Y SALIR CON MARITZA, MI COMPROMISO. UNA VEZ A LA SEMANA, DESPUÉS DE LAS CLASES, ÍBAMOS CON ALGUNAS AMIGAS A LOS ESTUDIOS DE TELEVISIÓN DE CMQ EN L Y 23 A VER EN VIVO UN PROGRAMA MUSICAL: MI INTRODUCCIÓN A LA CHARANGA CUBANA.

SILVIA ME PRESIONÓ DURANTE MESES Y FINALMENTE, AL TERMINAR EL SEGUNDO AÑO, ROMPÍ CON MARITZA. ELLA DEJÓ LA ESCUELA Y YO ME QUEDÉ PASMADA, DECIDIDA A "ENMENDARME". QUIZÁS A BUSCARME UN NOVIO SI FUERA NECESARIO.

SOY CUBA

CASI A FINALES DEL AÑO, A LOS NORTEAMERICANOS AMIGOS DE CUBA LES OFRECIERON UNA OPORTUNIDAD ÚNICA —EN ESPECIAL A LAS MUJERES JÓVENES QUE PODRÍAN HACER EL PAPEL DE TURISTAS AMERICANAS— INTERPRETAR EL PAPEL DE GRINGAS RICAS, DECADENTES, DE LA HABANA BATISTIANA ANTERIORES A 1959.

EL DIRECTOR SOVIÉTICO MIHAIL KALATOZOV RODABA ENTONCES UNA COPRODUCCIÓN CON EL ICAIC, EL INSTITUTO CUBANO DE ARTE E INDUSTRIA CINEMATOGRÁFICOS, Y SOLICITÓ EXTRAS AL ICAP PARA UNA ESCENA EN LA TERRAZA DEL HOTEL CAPRI.

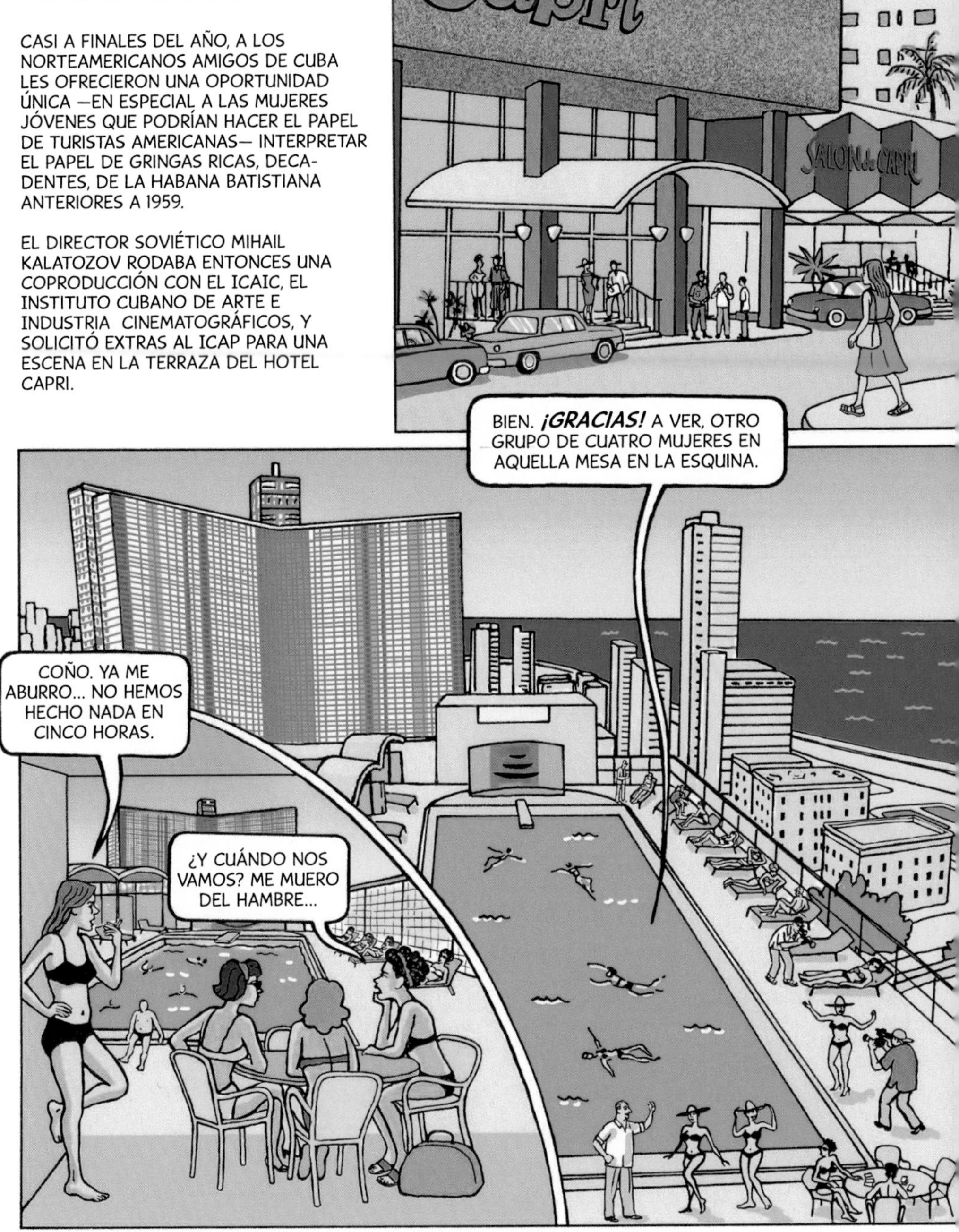

QUÉ PENA, POR FIN NADA. DESPUÉS DE TRES O CUATRO DÍAS ESPERANDO, ACABAMOS EN EL PISO DEL DEPARTAMENTO DE EDICIÓN Y NUNCA LLEGAMOS A FORMAR PARTE DE ESTA HISTÓRICA PELÍCULA DELICIOSAMENTE EXTRAVAGANTE Y EXTRAÑA.

EL AÑO NUEVO EN LA CUBA REVOLUCIONARIA ERA TEMPORADA DE CELEBRACIONES PATRIÓTICAS Y POLÍTICAS. LOS REBELDES HABÍAN ENTRADO EN LA HABANA EL 1º DE ENERO DE 1959. AHORA, CADA 31 DE DICIEMBRE O CERCA DE LA FECHA, EL ICAP ORGANIZABA UNA FIESTA PARA LOS TÉCNICOS EXTRANJEROS QUE PERTENECÍAN A LAS ORGANIZACIONES DE SOLIDARIDAD DEL ICAP. SE CELEBRABAN EN UNO DE LOS CÍRCULOS SOCIALES, LOS ANTERIORES CLUBES DE LA ALTA SOCIEDAD CUBANA.

TERMINAMOS POR IR TODOS. DESPUÉS DE UN RATO DE MALESTAR CALLADO, CON EL DESEO DE ESTAR CON MIS AMIGOS, DE PRONTO, ME DI CUENTA DE QUIÉN ESTABA SENTADO A POCA DISTANCIA.

EL MARXISMO Y LOS BEATLES

PARA EL ÚLTIMO AÑO DEL PRE, 1963/64, NOS "BAJARON LA ORIENTACIÓN" DE COMENZAR EL AÑO ESCOLAR CON UNIFORMES HECHOS EN CASA. A CADA ESTUDIANTE SE LE ENTREGÓ UN CERTIFICADO PARA COMPRAR UNA RACIÓN DE GABARDINA GRIS, PARA DOS PANTALONES O FALDAS.

TENEMOS QUE COSER UNIFORMES PARA LA ESCUELA AHORA. ¡ES OBLIGATORIO!

¡UFF! ¡QUE GORDA ME VEO ASÍ!

ESTE AÑO NOS INTRODUJERON FORMALMENTE AL MARXISMO. HASTA ENTONCES NUESTROS CURSOS HABÍAN SEGUIDO UN PROGRAMA TÍPICO DEL BACHILLERATO LATINOAMERICANO —MATEMÁTICA, QUÍMICA, FÍSICA, HISTORIA, GEOGRAFÍA, LITERATURA ESPAÑOLA, FRANCÉS, INGLÉS, BIOLOGÍA, BOTÁNICA, ZOOLOGÍA, ETC., MÁS EDUCACIÓN FÍSICA. NUESTRAS CLASES INCLUYERON UN SEMESTRE CADA UNO DE MATERIALISMO DIALÉCTICO Y MATERIALISMO HISTÓRICO Y DOS DE CIENCIAS POLÍTICAS. LOS TEXTOS ERAN MANUALES SOVIÉTICOS TRADUCIDOS AL ESPAÑOL EN MOSCÚ.

COMPAÑEROS, HOY VAMOS A ESTUDIAR LAS LEYES INEVITABLES QUE GOBIERNAN EL DESARROLLO DE TODOS LOS REGÍMENES SOCIALES A TRAVÉS DE LA HISTORIA.
... EL COMUNISMO PRIMITIVO, LA ESCLAVITUD, EL FEUDALISMO, EL CAPITALISMO, Y FINALMENTE EL SOCIALISMO, LA PRIMERA FASE DEL COMUNISMO CIENTÍFICO, LA FORMA MÁS ALTA DE LA SOCIEDAD HUMANA.
REPÚBLICA DE CUBA
MINISTERIO DE EDUCACIÓN

República de Cuba
Ministerio de Educación

"LAS RELACIONES ENTRE LOS HOMBRES Y LOS MEDIOS DE PRODUCCIÓN DETERMINAN TODAS LAS DEMÁS RELACIONES EN LA SOCIEDAD... EN EL CAPITALISMO, LA BURGUESÍA, QUE ES PROPIETARIA DE LOS MEDIOS DE PRODUCCIÓN, DISPONE DE TODOS LOS PRODUCTOS DEL TRABAJO DE LOS OBREROS, MIENTRAS LA MAYORÍA DE ESTOS ÚLTIMOS VIVE SUMIDA EN LA MISERIA..."

MIENTRAS, KRINKA, UNA COMPAÑERA DE AULA E HIJA DE DIPLOMÁTICOS EN LA HABANA, NOS INVITÓ AL APARTAMENTO DE SU FAMILIA, DONDE NOS INTRODUJO A LOS BEATLES. NO TENÍAMOS NI IDEA DE QUE PRONTO SERÍA ALGO SUBVERSIVO.

¡LES INVITO A MI FIESTA DE CUMPLEAÑOS! ¡POR FAVOR VENGAN TODOS!

¡TIENEN QUE OÍR ESTO! ¡SON LOS BEATLES!
"DO YOU WANT TO KNOW A SECRET?"
THE BEATLES!
THE BEATLES

BEA JOHNSON ERA UNA COMUNISTA DE ALTO RANGO EN EL PARTIDO COMUNISTA NORTEAMERICANO. FUE DEPORTADA A EUROPA, Y AHORA ENVIADA POR EL PARTIDO A FORJAR LAZOS CON EL GOBIERNO CUBANO. SE ESCANDALIZÓ CUANDO SUPO QUE LA ORGANIZACIÓN DE NORTEAMENRICANOS ALBERGABA EN SU SENO A MAOÍSTAS, TROTSKISTAS, Y OTROS HEREJES. NOS VISITÓ A MENUDO PARA QUEJARSE DE SUS FALTAS IDEOLÓGICAS. SU HIJA JOSIE Y YO NOS HICIMOS AMIGAS.

LUEGO PASÉ ESTOS CONOCIMIENTOS A MIS COLEGAS. LOS BEATLES Y EL ROCK & ROLL FUERON TÓPICOS FRECUENTES, ESPECIALMENTE EN NUESTROS PRIMEROS VIAJES AL TRABAJO AGRÍCOLA.

A ALGUNOS DE MIS COMPAÑEROS LES FALTABA ENTUSIASMO. YO LO PASÉ DIVINAMENTE.

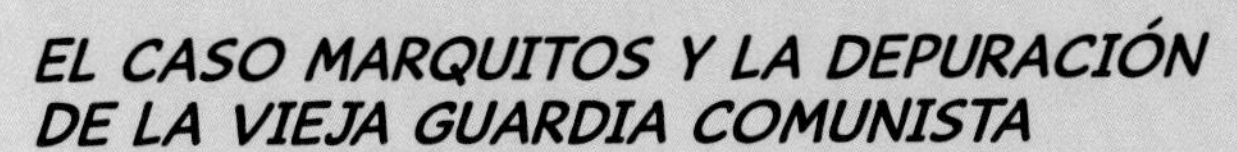

EL CASO MARQUITOS Y LA DEPURACIÓN DE LA VIEJA GUARDIA COMUNISTA

MARZO, 1964. MARCOS RODRÍGUEZ, UN MILITANTE COMUNISTA ACTIVO EN LA CLANDESTINIDAD EN LA ÉPOCA BATISTIANA, FUE JUZGADO, CONDENADO Y EJECUTADO POR HABER DELATADO A CUATRO SOBREVIVIENTES DEL ASALTO FALLIDO CONTRA EL PALACIO PRESIDENCIAL DE BATISTA EN 1957. POLICÍAS BATISTIANOS LOS ASESINARON EN SU REFUGIO EN LA CALLE HUMBOLDT 7. DESPUÉS DEL TRIUNFO DE LA REVOLUCIÓN, MARQUITOS FUE PROTEGIDO POR VIEJOS AMIGOS COMUNISTAS PODEROSOS, LOS CUALES AHORA SE ENCONTRARON IMPLICADOS EN EL JUICIO Y TERMINARON DEPURADOS.

VEN A MI CASA. TENGO UN TOCADISCOS Y PODEMOS OÍR A CHAVELA VARGAS.

EMPECÉ UNA RELACIÓN CON GUILLERMO, UN JOVEN CHILENO. SUS PADRES, ACADÉMICOS IZQUIERDISTAS, TRABAJABAN EN CUBA Y LES TRAJERON A ÉL Y A SUS HERMANAS. VIVÍAN EN MI BARRIO DE MIRAMAR. WILLY OCUPABA UN CUARTO DE CRIADA CON ENTRADA INDEPENDIENTE.

PONME LA MANO AQUÍ, MACORINA...PONME LA MANO AQUÍ...

WILLY ESTABA TAN FUERA DE LUGAR AQUÍ —APOLÍTICO, NOCTÁMBULO, SE VESTÍA DE NEGRO, LEÍA POESÍA, Y ESCUCHABA MÚSICA BOHEMIA. A MI ME ENCANTABA.

¡MIRA! TE TENGO UN REGALO...
PARA EL PRÓXIMO PAJERO...
¡FANTÁSTICO! ¡ERES UN GENIO!

WILLY ENTENDIÓ BIEN CÓMO ME ENFURECÍAN LOS MASTURBADORES DE LA CALLE DESPUÉS DE QUE UNO EYACULARA EN MI HOMBRO EN UNA GUAGUA LLENA. WILLY ME CONSTRUYÓ UN ARMA CON UNA JERINGUILLA DENTRO DE UNA PLUMA DE FUENTE. NO LLEGUÉ A USARLA ANTES DE PERDERLA, LO CUAL PROBABLEMENTE FUE LO MEJOR QUE PUDO PASAR.

LA TRAICIÓN

7

LA MASACRE

EL JUICIO

ORDOQUI

BUCHA

EL ACUSADO

NO RECUERDO SI WILLY TENÍA EMPLEO O SI SOLO ERA UN ESTUDIANTE. LEÍA MUCHA POESÍA Y FILOSOFÍA. RUMIABA DURANTE HORAS EN LAS CALUROSAS NOCHES HABANERAS. UN DÍA DESAPARECIÓ.

WILLY TODAVÍA ESTABA CON VIDA. LA EMPLEADA LO ENCONTRÓ JUSTO A TIEMPO. ÉL SE HABÍA INSTALADO CON UN POMO DE PÍLDORAS EN ESTE HOTELUCHO DE MALA MUERTE HACÍA VARIOS DÍAS.

WILLY ME MIRÓ FIJAMENTE CON FRIALDAD Y ME DEJÓ SABER QUE NUNCA MÁS QUERÍA VOLVER A VERME. NOS DESPEDIMOS Y UN PAR DE AÑOS DESPUÉS SUPE QUE INTENTÓ OTRA VEZ ABANDONAR EL MUNDO. ESTA VEZ CON ÉXITO.

ICAIC— EL INSTITUTO DE ARTE E INDUSTRIA CINEMATOGRÁFICOS

EN CALIFORNIA MI AMBICIÓN FUE LA DE ASISTIR A UNA ESCUELA DE ARTE, O ESTUDIAR ZOOLOGÍA EN ALGUNA UNIVERSIDAD PARA TRABAJAR CON ANIMALES SALVAJES. AHORA EN CUBA NADA DE ESTO PARECÍA POSIBLE. EN CUBA HABÍA UNA ESCUELA DE ARTE PERO NO A NIVEL UNIVERSITARIO Y LENORE, QUE NUNCA TUVO ACCESO A UNA EDUCACIÓN UNIVERSITARIA, FUE IMPLACABLE. YO TENÍA QUE TERMINAR EL PRE Y LUEGO ASISTIR A LA UNIVERSIDAD DE LA HABANA. TED DEJÓ BIEN CLARO QUE ÉL NO GASTARÍA UN CENTAVO EN MI EDUCACIÓN. AQUÍ SERÍA GRATUITA.

SIEMPRE SUPUSE QUE SERÍA ARTISTA, PERO AQUÍ NO HAY CAMINO PARA MÍ. LO EXTRAÑO TANTO. EN CALIFORNIA...
OYE, ¿POR QUÉ NO VAS AL ICAIC Y TE MATRICULAS EN EL CURSO DE ANIMACIÓN QUE OFRECEN?
ES UNA CLASE NOCTURNA. PODRÍAS IR DESPUÉS DE LA ESCUELA.

LA IDEA DE MI PROFESORA DE LITERATURA EN EL PRE DEL VEDADO ERA BRILLANTE. SU ENTUSIASMO EFERVESCENTE POR LA REVOLUCIÓN TUVO MUCHO QUE VER CON MI DECISIÓN DE ESCOGER LETRAS EN LA UNIVERSIDAD AL AÑO SIGUIENTE, DONDE ELLA ENSEÑABA GRIEGO.

SU PRIMERA TAREA SERÁ CONSTRUIR UNA MESA DE DIBUJO ANIMADO, YA QUE ES IMPOSIBLE QUE LA PUEDAN COMPRAR.
EL PROYECTO DE CLASE SERÁ DIBUJAR UNA PELÍCULA DE UN MINUTO.

ASÍ ME MATRICULÉ EN LA CLASE DE JESÚS DE ARMAS, UNO DE LOS FUNDADORES DEL LEGENDARIO DEPARTAMENTO DE ANIMACIÓN EN EL INSTITUTO CUBANO DE ARTE E INDUSTRIA CINEMATOGRÁFICOS, UN ARTISTA NACIDO CON UN BRAZO Y MEDIO. FUE UNO DE MIS HÉROES.

AH, ME GUSTA ESTO. QUIZÁS PUDIERAS TENER UN FUTURO CON NOSOTROS.

HAY UN PLAZO ABIERTO. TE PUEDO AYUDAR A ENTRAR.
PERO TODAVÍA ESTOY EN EL PRE.

LO SABÍA. LENORE RECHAZÓ LA IDEA Y YO ME MATRICULÉ EN LA UNIVERSIDAD. ELENA CALDUCH HABÍA ACONSEJADO QUE YO FUERA A LA ESCUELA DE LETRAS Y ARTE EN LA FACULTAD DE HUMANIDADES, DONDE PODRÍA ESPECIALIZARME EN HISTORIA DEL ARTE. AL MENOS PODRÍA ESTUDIAR ARTE SI NO HACERLO... FUE MI ÚNICA CONSEJERA. LENORE NO TENÍA NI IDEA Y A TED NO LE INTERESABA.

EN MI CLASE EN EL ICAIC HICE AMISTAD CON OTRO ALUMNO, UN PINTOR JOVEN, MANUEL MENDIVE. VIVÍA EN EL BARRIO DE LUYANÓ CON SU FAMILIA, CON MUCHAS PLANTAS Y ANIMALES. ME LLEVÓ DE VISITA Y ME INTRODUJO EN LA SANTERÍA.

LA QUÍMICA FUE EL MAYOR TORMENTO Y ANGUSTIA DE MI VIDA ACADÉMICA. ERA OBLIGATORIO APROBAR SEIS SEMESTRES, UN AÑO DE INORGÁNICA Y DOS DE ORGÁNICA, PARA GRADUARSE.

OMAR, EL NOVIO DE SILVIA ESTABA EN MI CLASE DE QUÍMICA. NOS HICIMOS COMPAÑEROS DE ESTUDIO Y JUNTOS MEMORIZAMOS LARGOS EJERCICIOS CON FÓRMULAS QUÍMICAS. UN DÍA LO INVITÉ A QUEDARSE MÁS TIEMPO DE LO USUAL. HABÍA MUCHA MATERIA POR CUBRIR.

LA GRADUACIÓN

COMPAÑERAS, AQUÍ TIENEN SU CERTIFICADO PARA LA CUOTA DE TRES METROS DE TELA POPLÍN PARA CADA GRADUADA.
¡TIENEN TRES SEMANAS PARA TENER SUS VESTIDOS LISTOS PARA LA GRADUACIÓN!
MIRA, TENGO UN MODELO DE VESTIDO MUY BUENO, DE PENNY'S EN CALIFORNIA. PUEDES COSERLO CON ESTO. TE PUEDO AYUDAR.
¡GENIAL! Y CON ESTOS TACONES QUE ME REGALÓ JOSIE, SERÁ PERFECTO. SOLO ME QUEDA PLANCHAR EL VESTIDO.

TRABAJÉ CON FERVOR EN EL VESTIDO DE GRADUACIÓN. COMPRAR UNO ERA IMPENSABLE. NO EXISTÍAN Y LENORE NO IBA A GASTAR DINERO EN UNA COSTURERA. TED SE ENOJARÍA ANTE TAL DERROCHE Y EL FONDO PRIVADO DE DINERO EXTRA DE LENORE ESTABA CASI VACÍO.

ME SENTÍ FELICÍSIMA CON MI VESTIDO Y TODO SALIÓ BIEN. NOS GRADUAMOS EN EL AUDITORIO DEL CENTRO DE LA COMUNIDAD JUDIA EN LA CALLE LÍNEA, DONDE POSAMOS PARA MUCHAS FOTOS. MI FAMILIA NO FUE, Y NO ME PESÓ. LENORE PODÍA RESULTAR TAN EMBARAZOSA. FUE UN ALIVIO.

Capítulo 2

La Universidad de La Habana

LA ESCUELA DE LETRAS Y ARTE
CUANDO ENTRÉ EN LETRAS Y ARTE EN EL OTOÑO DEL '64, SITUARON MI CLASE EN UN "PRE-CURSO," UNA ESPECIE DE PREÁMBULO AL PRIMER AÑO, PARA ELIMINAR A LOS INDESEABLES Y PARA ELEVAR A UN NIVEL UNIVERSITARIO A LOS RECIÉN INGRESADOS. INMEDIATAMENTE ME SENTÍ EN CASA ENTRE JÓVENES ARTÍSTICOS Y ALGO BOHEMIOS. UN POCO ME HICIERON RECORDAR MIS ÚLTIMOS DÍAS EN EL ÁMBITO ESTUDIANTIL DE BERKELEY, CALIFORNIA.
!!!

ASISTÍ A MIS CLASES CON ENTUSIASMO, ENCONTRÉ NUEVAS AMISTADES, MI CONDICIÓN DE PARIA TODAVÍA NO ERA EVIDENTE, Y DISFRUTÉ DE UN SEMESTRE DESPREOCUPADO.

CONNIE, ¿QUÉ TAL UN CAFECITO EN LA CAFETERÍA?
AY SÍ, ¡VAMOS!
LUCILA ERA UNA AMIGA DEL BANCO EN EL LOBBY. CHACHAREÁBAMOS FRECUENTEMENTE, BUENO, HASTA QUE ME CONVERTÍ EN OVEJA NEGRA Y LUCILA DEJÓ DE TRATARME.
UNA DE LAS COSAS QUE MÁS ME INTRIGABAN DE ELLA ERA QUE SU NOVIO TENÍA UN HERMANO GEMELO. LOS DOS ERAN MILITARES VESTIDOS CON UNIFORMES IDÉNTICOS. NO SE PODÍA DISTINGUIR UNO DEL OTRO. A VECES VENÍA TONY, A VECES PATRICIO, A VECES LOS DOS, A BUSCAR A LUCILA.
BUENO... ¿Y CÓMO SABRÁ ELLA CON CUÁL REGRESA A CASA?
HUMM... ¿QUÉ IMPORTA? A MÍ QUE ME DEN CUALQUIERA DE LOS DOS, SON TAN GUAPOS.
MI PRIMER AMIGO GAY, ÁNGEL LUIS, DEL SEGUNDO AÑO DE LA ESPECIALIDAD DE LENGUAS CLÁSICAS, TENÍA UNA LENGUA PÍCARA. DE ÉL APRENDÍ A APRECIAR LA POLÍTICA DE LA ESCUELA, QUIÉN ERA QUIÉN, LOS CONFIABLES, LOS HIJOS DE PUTA, LOS QUE MANDABAN Y LOS QUE LOS SEGUÍAN.

APROXIMADAMENTE 25 AÑOS MÁS TARDE, EN 1989, DESPUÉS DE UNO DE LOS JUICIOS MÁS ESPECTACULARES E INFAMES, EJECUTARON A TONY, PARA ENTONCES DIVORCIADO DE LUCILA, JUNTO CON EL MUY CONDECORADO GENERAL DE DIVISIÓN, ARNALDO OCHOA Y DOS OTROS ALTOS OFICIALES.

LOS PERVERTIDOS CALLEJEROS ME TENÍAN HARTA Y DECIDÍ BUSCAR UNA FORMA DE DEFENDERME. DESCUBRÍ EL JUDO Y AL *SENSEI* ANDRÉS KOLYCHKINE EN EL GIMNASIO UNIVERSITARIO.

ANDRÉS KOLYCHKINE HABÍA EMIGRADO DE BÉLGICA A FINALES DE LOS AÑOS '40 Y ESTABLECIÓ UNA ESCUELA DE JUDO EN LA HABANA EN LOS '50. NO SÉ QUÉ SE HIZO DE SU ESCUELA, PERO AQUÍ ESTABA, DANDO CLASES EN LA UNIVERSIDAD. DISFRUTÉ APRENDIENDO A VOLCAR A LOS TIPOS GRANDOTES SOBRE MI ESPALDA Y APRECIÉ LA FEROCIDAD GENTIL

¡VAYA!
QUÉ BUEN MOZO, TAN REGIO. ¿SERÁ POSIBLE...?"
OYE, TREMENDOS MÚSCULOS TIENES. ¿ERES ATLETA?
SÍ, EL AÑO PASADO CAMPEÓN DE JABALINA EN LA UNIVERSIDAD CENTRAL.

JESSE MATOS VINO DE ANGOLA. HABÍA SIDO GUERRILLERO CON LAS FUERZAS DE LA MPLA, Y AHORA BECADO, ESTUDIABA MEDICINA VETERINARIA EN CUBA. SUS PADRES, AMBOS MEDIO PORTUGUESES, MEDIO ANGOLANOS, HABÍAN TRABAJADO EN LA ADMINISTRACIÓN COLONIAL PORTUGUESA EN ANGOLA.

PRONTO SALIMOS JUNTOS Y YO ME CONVERTÍ EN SU NOVIA OFICIAL EN SU CÍRCULO DE ESTUDIANTES AFRICANOS. ME SENTÍ LIGERAMENTE PERVERSA POR HABER ESCOGIDO A ALGUIEN ESENCIALMENTE POR SU FÍSICO (NO TENÍA NINGÚN SENTIDO DE HUMOR). NO TARDÉ EN SENTIRME ABURRIDA E INQUIETA...

POR ESAS FECHAS, TED TUVO UNA CONVERSACIÓN BREVE CON CHE GUEVARA EN JUCEPLAN.

COMANDANTE, ¿QUÉ SE PUEDE HACER PARA ACELERAR EL DESARROLLO DE LOS SEMICONDUCTORES EN CUBA?
¿NO ES PRECISO ESTABLECER UNA PLATAFORMA TEÓRICA EN FÍSICA ANTES QUE EL ASPECTO DE LA INGENIERÍA?
VAMOS A SITUARTE EN LA ESCUELA DE FÍSICA EN LA UNIVERSIDAD Y ALLÍ DESARROLLAS UN PROGRAMA.

CHE GUEVARA ESTABA DECIDIDO A INDUSTRIALIZAR LA ECONOMÍA CUBANA Y PROMOVIÓ LA INMIGRACIÓN DE CIENTÍFICOS, INGENIEROS Y PROFESORES. POCO DESPUÉS DEL TRIUNFO DE LA REVOLUCIÓN, EN EL '61, SE CREÓ LA ESCUELA DE FÍSICA Y PRONTO FUERON RECLUTADOS PROFESORES DESDE EL CAMPO SOCIALISTA Y DE VARIOS PAÍSES CAPITALISTAS.

TED DIO CLASES DE FÍSICA TRANSISTORIZADA, ENTRENÓ A ESTUDIANTES GRADUADOS E IMPULSÓ UN LABORATORIO PARA DESARROLLAR Y PRODUCIR SEMICONDUCTORES EN CUBA.
EN OCTUBRE 1964, MIENTRAS YO COMEZABA MI VIDA EN LA ESCUELA DE LETRAS, TED Y SU COLEGA ARGENTINA DINA WAISMAN HICIERON UN VIAJE DE DOS MESES A LA UNIÓN SOVIÉTICA PARA RECIBIR ORIENTACIONES Y APOYO MATERIAL PARA SU LABORATORIO Y SU PROGRAMA DE ENSEÑANZA.
¡LENORCHEN! ¡ME VOY A LENINGRADO! ¡Y A MOSCÚ! ¡LA ACADEMIA DE CIENCIAS NOS ENVÍA!
¡AY! ¿CÓMO PODRÉ YO SOLA CON LOS NIÑOS? ME TIENES QUE TRAER MUCHO SHAMPÚ Y COLOR PARA EL PELO.
LOS RECIBIERON CORDIALMENTE EN EL INSTITUTO DE SEMICONDUCTORES DE LENINGRADO. REGRESARON CON MATERIALES Y CONTACTOS PERSONALES CON CIENTÍFICOS SOVIÉTICOS CON QUIENES ESTRECHARON LAZOS DE INVESTIGACIÓN CIENTÍFICA DURANTE MUCHOS AÑOS.
¿QUÉ NECESITAS, COMPAÑERO TEODORO?
¡TODO!
¡TOMA! TE DAREMOS ESTOS MANUALES AHORA Y MÁS TARDE ENVIAREMOS NUESTROS EQUIPOS SOBRANTES.

¡NICKAROO! ¡PAPÁ TE MANDÓ UNA POSTAL! ¡MIRA!
OCT.—QUERIDA NIKKI,
POR EL COLOR DE LA BARBA DEL SEÑOR AL DORSO, LO PODRÁS RECONOCER. PARA SABER EN QUÉ PARÓ, ESPERA A LA PRÓXIMA TARJETA POSTAL.
TE QUIERE PAPÁ.
OCT. 17— QUERIDA NIKKI,
BUENO, LO ADIVINASTE. TERMINÓ MAL. TE MANDO POSTALES PARA QUE RECIBAS ESTOS SELLOS. QUÍTALOS CON CUIDADO, CON VAPOR. NO LOS ENJUAGUES. ¡ESO ECHARÍA A PERDER LA POSTAL!
TE QUIERE, PAPÁ.
¡AYYY!

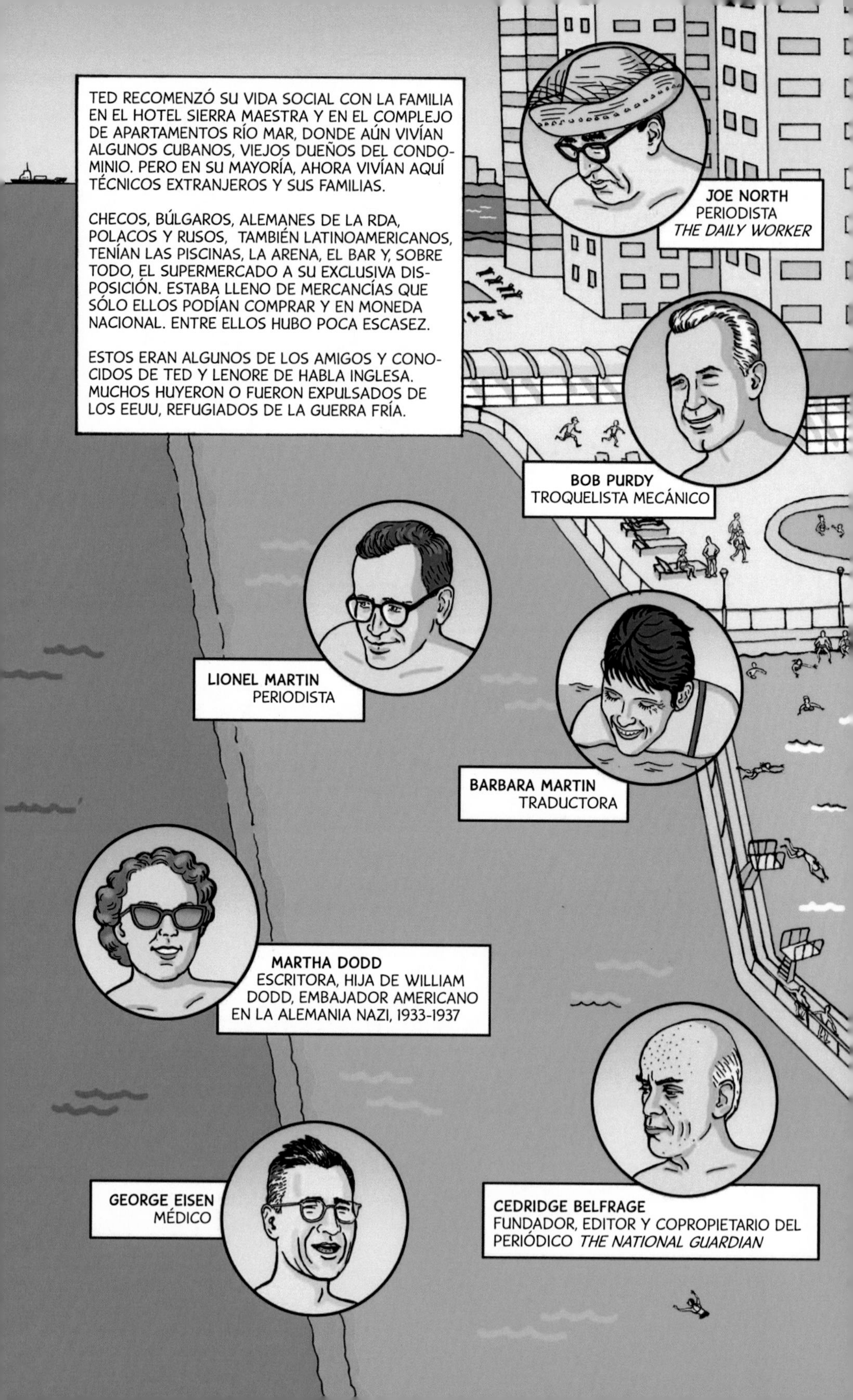
TED RECOMENZÓ SU VIDA SOCIAL CON LA FAMILIA EN EL HOTEL SIERRA MAESTRA Y EN EL COMPLEJO DE APARTAMENTOS RÍO MAR, DONDE AÚN VIVÍAN ALGUNOS CUBANOS, VIEJOS DUEÑOS DEL CONDOMINIO. PERO EN SU MAYORÍA, AHORA VIVÍAN AQUÍ TÉCNICOS EXTRANJEROS Y SUS FAMILIAS.
CHECOS, BÚLGAROS, ALEMANES DE LA RDA, POLACOS Y RUSOS, TAMBIÉN LATINOAMERICANOS, TENÍAN LAS PISCINAS, LA ARENA, EL BAR Y, SOBRE TODO, EL SUPERMERCADO A SU EXCLUSIVA DISPOSICIÓN. ESTABA LLENO DE MERCANCÍAS QUE SÓLO ELLOS PODÍAN COMPRAR Y EN MONEDA NACIONAL. ENTRE ELLOS HUBO POCA ESCASEZ.
ESTOS ERAN ALGUNOS DE LOS AMIGOS Y CONOCIDOS DE TED Y LENORE DE HABLA INGLESA. MUCHOS HUYERON O FUERON EXPULSADOS DE LOS EEUU, REFUGIADOS DE LA GUERRA FRÍA.
JOE NORTH PERIODISTA *THE DAILY WORKER*
BOB PURDY TROQUELISTA MECÁNICO
LIONEL MARTIN PERIODISTA
BARBARA MARTIN TRADUCTORA
MARTHA DODD ESCRITORA, HIJA DE WILLIAM DODD, EMBAJADOR AMERICANO EN LA ALEMANIA NAZI, 1933-1937
GEORGE EISEN MÉDICO
CEDRIDGE BELFRAGE FUNDADOR, EDITOR Y COPROPIETARIO DEL PERIÓDICO *THE NATIONAL GUARDIAN*

EDITH HALPERIN
MAURICE HALPERIN
PROFESOR, ESPECIALISTA
EN AMÉRICA LATINA,
ANTERIOR OFICIAL DE LA OSS
ESTELLE BRAVO
CINEASTA
ANGELA MOUTSOS
TRADUCTORA
MARILYN
TRADUCTORA
ADA D.
TRADUCTORA
ED BOORSTEIN
ECONOMISTA Y ESCRITOR
ANITA W.
TRADUCTORA
ELLA SCUPP
PEDAGOGA

EN FEBRERO DEL '65 SE INICIÓ UNA CAMPAÑA ELECTORAL POR TODA LA UNIVERSIDAD PARA ESCOGER PÚBLICAMENTE DELEGADOS AL GOBIERNO ESTUDIANTIL. LA UJC* TODAVÍA NO HABÍA CONSOLIDADO SU MONOPOLIO SOBRE LA EXPRESIÓN POLÍTICA Y UNA VARIEDAD DE PERSONAS HABLARON A FAVOR DE LOS CANDIDATOS EN UNA SERIE DE ASAMBLEAS A LAS QUE YO ASISTÍ CON ENTUSIASMO.

UNA QUE HABLÓ, MÓNICA, DEL SEGUNDO AÑO, ERA MUY SERIA Y MUY CÓMICA. ME LLAMÓ LA ATENCIÓN Y ME IMPRESIONÓ. LA IDEA DE HACER LA VIDA MÁS SENCILLA Y "ENDEREZAR" MIS RELACIONES ROMÁNTICAS SE DISOLVIÓ RÁPIDAMENTE. EN LOS DÍAS SIGUIENTES LA OBSERVÉ DE LEJOS Y BUSQUÉ ALGÚN MODO DE ACERCARME.

YO SABÍA QUE TENÍA QUE DECIRLE ADIÓS A JESSE, MI NOVIO ANGOLANO. LO TOMÓ MUY MAL. LA DIRECCIÓN QUE ESCOGÍ NO PUDO HABER SIDO EN PEOR MOMENTO.

*UJC: UNIÓN DE JÓVENES COMUNISTAS

BUENO, YA SE ACABARON LAS ELECCIONES. NOS VAMOS PA' UNA FIESTA. ¿QUIERES IR?
PUES, SÍ... ¿POR QUÉ NO?
¡¡SÍ!! ¡¡SÍ!! ¡¡SÍ!!
PASAMOS POR CENTRO HABANA, HASTA LA HABANA VIEJA, AL APARTAMENTO DE HERMINIO, EL MEJOR AMIGO DE MÓNICA.
AHORA CUÉNTANOS, ¿QUÉ COSA TÚ ERES? ¿ALEMANA O AMERICANA?
EMPECÉ COMO ALEMANA Y AHORA SOY AMERICANA.
PRONTO FUE EVIDENTE QUE TODOS LOS PRESENTES ERAN GAYS. ¡QUÉ EMOCIÓN! ME SENTÍ EN CASA AL FIN. CONVERSÉ CON BRUNO EN MI ALEMÁN OLVIDADO DESDE LA NIÑEZ. ÉL HABÍA ASISTIDO A UNA ESCUELA PREUNIVERSITARIA EN ALEMANIA.
ICH WUCHS IN DEUTSCHLAND AUF UND GING DORT IN DIE SCHULE. UND WO KOMMST DU HER?
DARMSTADT. DIE STADT WURDE WÄHREND DES KRIEGES SEHR ZERSTÖRT. MEINE MUTTER BRACHTE MICH NACH AMERIKA ALS ICH SIEBEN WAR.
TIENES QUE IRTE A CASA AHORA. VAMOS, TE LLEVO.
AY, SHEE...
¡QUÉ FELIZ ME ENCUENTRO!
¡SHHH! YO TAMBIÉN, PERO CÁLLATE ANTES DE QUE ALGUIEN NOS DENUNCIE.

PRONTO LOS AMIGOS ME ADOPTARON COMO LA AMANTE OFICIAL DE MÓNICA. ELLA ERA LA FIGURA CENTRAL DE UN GRUPO DE ESTUDIANTES AVISPADOS DEL SEGUNDO AÑO. BRUNO Y GUSTAVO ERAN UNA PAREJA MUY AMIGA DE MÓNICA. LA MAYORÍA DEL CÍRCULO MÁS ÍNTIMO ERA GAYS Y SE DEDICABAN AL ARTE, Y PARA NADA ENCAJABAN EN EL MOLDE DEL "HOMBRE NUEVO". EL CÍRCULO MÁS AMPLIO ERA UNA MEZCLA DE GENTE BOHEMIA GAY Y HETEROSEXUAL —ESTUDIANTES DE LETRAS, ARQUITECTURA, PINTORES, ESCRITORES, ICONOCLASTAS... ALGUNOS SE CONSIDERABAN REVOLUCIONARIOS, ALGUNOS DISCRETAMENTE NO. MUCHOS SE CONSIDERABAN "CONFLICTIVOS".

SALÍAMOS A TOMAR Y ESCUCHAR JAZZ, "FILIN", A LAS GRANDES DIVAS Y MAESTROS DEL CABARET CUBANO EN EL CLUB EL GATO TUERTO Y OTROS SITIOS AMENOS. CONVERSÁBAMOS DURANTE HORAS SOBRE ARTE, EL AMOR, LA POLÍTICA Y DEL GUSTO DE ESTAR JUNTOS.

TODOS ÍBAMOS A VER CINE EXTRAJERO EN LA CINEMATECA EN LA CALLE 23 Y 12, DONDE ME ENAMORÉ DE SERGEI EISENSTEIN.

11 DE DICIEMBRE, 1964— CHE GUEVARA LLEVÓ LA LUCHA ANTIIMPERIALISTA AL ESCENARIO MUNDIAL EN LA ONU, CON COBERTURA MÁXIMA EN LA HABANA.
"... LA CULPABILIDAD DE MUCHOS DE NUESTROS INTELECTUALES Y ARTISTAS RESIDE EN SU PECADO ORIGINAL; NO SON AUTÉNTICAMENTE REVOLUCIONARIOS..."
ABRIL 1965— DURANTE LOS ÚLTIMOS DOS MESES DEL CURSO, LA FACULTAD DE HUMANIDADES FUE MOVILIZADA PARA HACER TRABAJO AGRÍCOLA. LOS PROFESORES Y ESTUDIANTES VARONES FUERON ENVIADOS A PINAR DEL RÍO A CORTAR CAÑA; LAS PROFESORAS Y ESTUDIANTES MUJERES A GRANJAS EN LA PROVINCIA DE LA HABANA.
LA DESPEDIDA A FIDEL
EL HOMBRE NUEVO
EL CHE EN EL CONGO
A LAS MUJERES DE LA ESCUELA DE LETRAS LAS MANDARON PARA GÜINES Y LAS DEPOSITARON EN EL "RESIDENCIAL MAYABEQUE", DOS ALMACENES DEL MINCIN, EL MINISTERIO DE COMERCIO INTERIOR.
"NO HAY FRONTERAS EN ESTA LUCHA A MUERTE; NO PODEMOS PERMANECER INDIFERENTES FRENTE A LO QUE OCURRE EN CUALQUIER PARTE DEL MUNDO; UNA VICTORIA DE CUALQUIER PAÍS FRENTE AL IMPERIALISMO ES UNA VICTORIA NUESTRA, ASÍ COMO LA DERROTA DE UNA NACIÓN CUALQUIERA ES UNA DERROTA PARA TODOS."— ARGEL, 1965
"DÉJEME DECIRLE, A RIESGO DE PARECER RIDÍCULO, QUE EL REVOLUCIONARIO VERDADERO ESTÁ GUIADO POR GRANDES SENTIMIENTOS DE AMOR... NUESTROS REVOLUCIONARIOS DE VANGUARDIA TIENEN QUE IDEALIZAR ESE AMOR A LOS PUEBLOS, A LAS CAUSAS MÁS SAGRADAS Y HACERLO ÚNICO, INDIVISIBLE. NO PUEDEN DESCENDER CON SU PEQUEÑA DOSIS DE CARIÑO COTIDIANO HACIA LOS LUGARES DONDE EL HOMBRE COMÚN LO EJERCITA."

GÜINES
¡¡PINCHEN!!
¡AY, LA MUGRE ME INDIGNA!
¿QUIÉN SE LLEVÓ MI PEINE?
NUESTRO BARRACÓN DE CEMENTO, CONSTRUIDO PARA ALMACENAR SACOS DE PRODUCTOS AGRÍCOLAS, AHORA SE LLENÓ DE LITERAS.
¡¡Z-Z-Z-Z..!!
"EL CUARTO DE LA LOCURA" FUE UN CUARTO ANEXO DONDE DORMÍAN LAS PROFESORAS. VICENTINA ANTUÑA, LA DIRECTORA DE LA ESCUELA, TUVO EL LUJO DE DISPONER DE SU PROPIA CAMA.

NUESTRAS BRIGADAS SE TURNABAN PARA TRABAJAR EN LOS CAMPOS, LIMPIAR LOS BARRACONES, FREGAR Y COCINAR EN LA COCINA. CADA DÍA EL ENCARGADO, JUANITO, Y SU CHOFER NOS LLEVABAN A LOS CAMPOS ANTES DEL AMANECER. NUESTRA MISIÓN ERA LIMPIAR Y PREPARAR LOS SURCOS, Y LUEGO SEMBRAR MALANGA, RECOGER TOMATES, PAPAS Y BONIATO. EL TRABAJO ERA AGOBIANTE, EL SOL INTENSO, Y NUESTRAS MANOS ARDÍAN CON AMPOLLAS. PARA AUMENTAR NUESTRA PRODUCTIVIDAD SE EXHORTABA A LAS BRIGADAS A COMPETIR ENTRE SÍ.
LAS ESTUDIANTES CHINAS DEL PROGRAMA PARA EXTRANJEROS SIEMPRE GANABAN LA "EMULACIÓN SOCIALISTA". NUNCA TOMABAN DESCANSOS, NUNCA HARAGANEABAN, NUNCA MOSTRABAN CANSANCIO, SOLO TRABAJABAN COMO HORMIGAS DEVASTADORAS. NO ERA UNA SORPRESA, ERAN CUADROS POLÍTICOS ENVIADAS POR EL GOBIERNO CHINO PARA INTEGRAR UN CUERPO DE ÉLITE DE TRADUCTORES.

MIRTA AGUIRRE, NUESTRA INGENIERA SANITARIA.

LOS ORGANIZADORES DEL CAMPAMENTO SE HABÍAN OLVIDADO DE LA NECESIDAD DE LETRINAS. MIRTA AGUIRRE, DISTINGUIDA PROFESORA DE RETÓRICA Y LITERATURA ESPAÑOLA, ADEMÁS DE SER UNA COMUNISTA PROMINENTE DEL VIEJO PSP, TOMÓ LAS RIENDAS Y SALVÓ LA SITUACIÓN. ELLA SOLA CAVÓ UNA TRINCHERA PROFUNDA Y ASÍ NACIÓ NUESTRA LETRINA DE UN HUECO EN LA TIERRA.

LAS QUE TENÍAN AMANTES EN LA CIUDAD O EN OTROS CAMPOS ESPERABAN DIARIAMENTE EL CORREO. PARA PROTEGERSE, A VECES SE CAMBIABAN LOS GÉNEROS CONVENIENTEMENTE.

¡OIGAN, OIGAN! ¡MI CHICHO ESCRIBIÓ!

ADEMÁS DE LAS CUATRO CHINITAS Y YO, HABÍA OTRAS EXTRANJERAS DE LETRAS: LA POLACA, VERA LA COLOMBIANA, LAURITA DE ECUADOR, Y PETROVA DE BULGARIA. NOS HICIERON UNA FOTO PARA EL PERIÓDICO LOCAL Y NOS AGASAJARON POR NUESTRA SOLIDARIDAD.
LAS CUATRO CHINITAS JAMÁS SE MOVÍAN SOLAS. PEGADAS UNAS A OTRAS, EVIDENTEMENTE LAS HABÍAN ORDENADO MANTENERSE EN GRUPO EN ESTA ISLA SOCIALISTA PERO HEDONISTA.
CUÉNTENNOS DE LOS HOMOSEXUALES EN CHINA. ¿TIENEN MUCHOS EN LA UNIVERSIDAD?
¡CUÉNTENNOS DEL SEXO Y EL AMOR EN CHINA!
¿POR QUÉ NO LES PERMITEN CASARSE HASTA QUE TENGAN 28 AÑOS DE EDAD?
¡NO TENEMOS PERVERSIONES EN CHINA! ¡ESAS SON ENFERMEDADES IMPERIALISTAS!
¡BUENA CAMARADA MUJER SE CASA CON BUEN CAMARADA HOMBRE CUANDO ESTÁN PREPARADOS PARA SERVIR A LA SOCIEDAD!

MÓNICA ERA MUY TRAVIESA, UNA CUALIDAD QUE APRECIÉ CON ENTUSIASMO. UN JUEGO FAVORITO ERA TORTURAR A LAS CHINITAS CON PREGUNTAS SOBRE TEMAS TABÚ. LES TUVIMOS QUE EXPLICAR QUÉ COSA ERA LA HOMOSEXUALIDAD, ALGO QUE LAS DEJÓ HORRORIZADAS.

ESTABA FELIZ, SENTÍA QUE PERTENECÍA, QUE ESTABA EN CASA, QUE CON MUCHA MORAL TODOS ESTÁBAMOS PARTICIPANDO EN EL "PROCESO REVOLUCIONARIO". LAS COSAS SÓLO PODÍAN MEJORARSE PARA LOS CAMPESINOS CON NUESTRA AYUDA. RETORNAMOS A LA HABANA CON EXCELENTES ÁNIMOS.

LA DEPURACIÓN— LAS GRANDES PURGAS DE 1965

REGRESAMOS A LA ESCUELA A UN PANORAMA NUEVO...

¡AY, DIOS MÍO! ¿HAS VISTO ESTO?
EN MAYO DEL '65, COMENZAMOS A VER Y LEER ARTÍCULOS AGRESIVOS EN EL SEMANAL *ALMA MATER*, EN LA REVISTA COMUNISTA JUVENIL *MELLA*, Y EN EL DIARIO *JUVENTUD REBELDE*. CONDENABAN FEROZMENTE A LA "LACRA SOCIAL", A LOS HOMOSEXUALES, LOS "ENFERMITOS", Y CUALQUIER HOMBRE QUE CALZARA SANDALIAS O TUVIERA EL PELO LARGO; A CUALQUIERA QUE NO DEMOSTRARA ENTUSIASMO POR LAS ACTIVIDADES REVOLUCIONARIAS, COMO LA MILICIA O EL "TRABAJO PRODUCTIVO", Y TAMBIÉN AQUELLOS IDENTIFICADOS COMO CREYENTES RELIGIOSOS.
mella

¡VAN A DEPURAR A LA MITAD DE LA ESCUELA!
"ESTAMOS HACIENDO UNA REVOLUCIÓN CONTRA LOS EXPLOTADORES, CONTRA LOS ENEMIGOS DEL PUEBLO, Y QUIENES DE UNA FORMA U OTRA SEAN REPRESENTANTES DE LA IDEOLOGÍA DE LOS QUE ASPIRAN A IMPONERNOS DE NUEVO EL PASADO NO PUEDEN SEGUIR ENCONTRANDO ALBERGUE EN NUESTRAS UNIVERSIDADES, QUE ES DONDE SE FORJAN LOS INGENIEROS QUE HAN DE DIRIGIR NUESTRAS EMPRESAS, LOS INTELECTUALES QUE HAN DE REGIR NUESTRA CULTURA NACIONAL, LOS HOMBRES QUE HAN DE ESTAR EN LAS PRIMERAS AVANZADAS EN LA LUCHA POR EL COMUNISMO."
LA GRAN BATALLA ESTUDIANTIL
"... LAS ORGANIZACIONES JUVENILES DE NUESTRO PAÍS, HEMOS DECIDIDO PLANTEARLES A USTEDES [...] LA NECESIDAD DE EXPULSAR DE LOS PLANTELES A TODOS AQUELLOS ELEMENTOS QUE NO SON CAPACES DE INSPIRARSE EN LA OBRA DE LA REVOLUCIÓN, EN EL SACRIFICIO DE NUESTROS MÁRTIRES, EN EL HEROÍSMO PRESENTE DE LA JUVENTUD CUBANA, QUE TRATAN DE VIVIR A ESPALDAS DEL PROCESO REVOLUCIONARIO, QUE QUIEREN REPRESENTAR LA IDEOLOGÍA DE LOS ENEMIGOS DEL PUEBLO."
"LOS [...] QUE MUESTREN DETERMINADAS DESVIACIONES QUE PUEDAN EXPRESAR EN ELLOS ALGÚN TIPO DE BLANDENGUERÍA PEQUEÑO BURGUESA Y QUE SEAN APÁTICOS A LAS ACTIVIDADES REVOLUCIONARIAS QUE REALIZA EL ESTUDIANTADO, SI NO EXPULSADO DE LOS PLANTELES, POR LO MENOS, ANTES DE GANAR EL DERECHO DE INGRESAR EN NUESTRAS UNIVERSIDADES, CUMPLAN UNA TAREA HONROSA QUE TIENE LA JUVENTUD CUBANA ACTUALMENTE, INGRESAR EN EL SERVICIO MILITAR OBLIGATORIO..."
¡CHICA, QUÉ PROSA MÁS ABOMINABLE!
"USTEDES SON LOS QUE TIENEN LA PALABRA, A USTEDES CORRESPONDE APLICAR ESTAS MEDIDAS..."
"USTEDES SABEN BIEN QUIÉNES SON, LOS HAN TENIDO QUE COMBATIR MUCHAS VECES, SE HAN PREGUNTADO CUÁNDO TENDRÍAN LA OPORTUNIDAD DE PEDIRLES CUENTAS EN NOMBRE DE LA REVOLUCIÓN"
"HA LLEGADO EL MOMENTO DE QUE, CON LA MÁS ELEVADA RESPONSABILIDAD, APLIQUEN LA FUERZA DEL PODER OBRERO Y CAMPESINO, LA FUERZA DE LAS MASAS, EL DERECHO DE LAS MASAS, CONTRA SUS ENEMIGOS..."
¡INCREÍBLE!
"¡FUERA LOS CONTRARREVOLUCIONARIOS Y LOS HOMOSEXULALES DE NUESTROS PLANTELES!"
"¡GANAREMOS LA BATALLA DE LA PROMOCIÓN! DÓNDE SEA, CÓMO SEA Y PARA LO QUE SEA."
¡COMANDANTE EN JEFE ORDENE!
UJC - UES
PATRIA O MUERTE VENCEREMOS"

LA NOTICIA DE LA DEPURACIÓN CORRIÓ RÁPIDAMENTE. SE CONOCÍAN LAS PURGAS DE "PURIFICACIÓN" EFECTUADAS EN OTRAS ESCUELAS DE LA UNIVERSIDAD. NOS PREPARAMOS PARA LA LLEGADA DE ESTA CALAMIDAD A LA ESCUELA DE LETRAS. AMIGOS QUE ESTUDIABAN EN LA ESCUELA DE ARQUITECTURA Y VARIOS EN CIENCIAS EN LA CUJAE (CIUDAD UNIVERSITARIA JOSÉ ANTONIO ECHEVERRÍA) NOS RELATABAN LO QUE ALLÍ OCURRÍA.

LAS DEPURACIONES INCLUÍAN ASAMBLEAS MASIVAS PRESIDIDAS POR LOS REPRESENTANTES DE LA FEU (FEDERACIÓN ESTUDIANTÍL UNIVERSITARIA) Y LA UJC (UNIÓN DE JÓVENES COMUNISTAS).

DESPUÉS DE SOMETERLOS A LA HUMILLACIÓN PÚBLICA, LOS ACUSADOS FUERON EXPULSADOS INMEDIATAMENTE.

PROTESTAR A FAVOR DE OTRO ERA IMPENSABLE: SERÍA UN SUICIDIO SOCIAL Y POLÍTICO AUTOMÁTICO.

RESULTÓ QUE LA DEPURACIÓN MASIVA NUNCA LLEGÓ A LA ESCUELA DE LETRAS. NUESTRA DIRECTORA, VICENTINA ANTUÑA, TENÍA CREDENCIALES REVOLUCIONARIAS IMPECABLES QUE LE DIERON A ELLA Y A LA ESCUELA CIERTA INMUNIDAD, E INCLUSO, LA APARENTE PROTECCIÓN DEL MISMO FIDEL CASTRO. ELLA HABÍA JUGADO UN PAPEL IMPORTANTE EN LA INSURRECCIÓN URBANA ANTES DEL TRIUNFO DE LA REVOLUCIÓN. HABÍA ESCONDIDO ARMAS PARA EL MOVIMIENTO 26 DE JULIO. PERO AÚN ASÍ EXPULSARON A MUCHOS ESTUDIANTES, SI BIEN SIN LA HUMILLACIÓN PÚBLICA EN ASAMBLEAS.

MELLA Nº 325, MAYO 24, 1965

ALLEN GINSBERG Y LA MUERTE DE "EL PUENTE"

EN FEBRERO 1965, POCOS MESES ANTES DEL COMIENZO DE LAS DEPURACIONES, DEPORTARON DEL PAÍS AL POETA NORTEAMERICANO ALLEN GINSBERG. HABÍA VENIDO A CUBA A MEDIADOS DE ENERO COMO JURADO EN EL PREMIO DE POESÍA CONVOCADO POR LA CASA DE LAS AMÉRICAS. NO PASÓ MUCHO TIEMPO ANTES DE QUE SE DESATARA LA TORMENTA.

¡ALERTA!
26 de JULIO
FIDEL CASTRO
LOS NORTEAMERICAMOS AMIGOS DE CUBA RECIBIERON LA ORIENTACIÓN DEL ICAP DE ATENDER A GINSBERG A SU LLEGADA. ANGELA BOYER, UNA DEL PEQUEÑO REBAÑO DE TRADUCTORAS, ORGANIZÓ UNA FIESTA EN SU APARTAMENTO EN EL VEDADO EN SU HONOR. ERA UN EVENTO QUE NO QUISE PERDERME.
LES TRAJE MÚSICA DE LOS ESTADOS UNIDOS QUE TIENEN QUE OÍR: BOB DYLAN Y JOAN BAEZ. *SON FANTÁSTICOS.*
¡ESTA MÚSICA ES GENIAL...! ¿FUE DIFÍCIL ENTRAR LOS DISCOS EN EL PAÍS?
FIDEL CA
BOB DYLAN
BUENO, UN *DINGLEBERRY* EN ADUANA SE MOLESTÓ PERO POR FIN PUDE ENTRARLOS.
¿UN *DINGLEBERRY*? ¿QUE ES ESO?
¡AHH! UN *DINGLEBERRY* ES UN PEDAZO PEQUEÑO DE MIERDA SECA Y OLVIDADA QUE CUELGA DE LOS PELOS DEL ANO.
¡GRACIAS! EL MEJOR INSULTO QUE HE OÍDO EN MI VIDA.
¡DE NADA! Y AHORA ME DESPIDO. VOY A ENCONTRARME CON UNA GENTE.
GINSBERG SE AUSENTÓ GENTILMENTE Y COGIÓ CALLE.

GINSBERG RECORRIÓ EL VEDADO NOCTURNO Y PRONTO SE LE ACERCARON VARIOS POETAS JÓVENES, AMIGOS DE JOSÉ MARIO, EL FUNDADOR Y FUERZA VITAL DE LA EDITORIAL EL PUENTE. ESTA PEQUEÑA EMPRESA "CONTRA-CULTURAL", DE RECURSOS LIMITADOS, HABÍA PUBLICADO OBRAS DE POESÍA Y FICCIÓN DESDE 1961. POR UN TIEMPO MARIO FUE ESTUDIANTE DE LETRAS, Y AHORA SE DEDICABA A ESCRIBIR Y PUBLICAR LOS TRABAJOS SUYOS Y DE OTROS ESCRITORES JÓVENES, CON EL RECONOCIMIENTO RENUENTE DE LAS INSTITUCIONES CULTURALES OFICIALES.
¡ALLEN GINSBERG! QUÉ GUSTO. VENGA A TOMAR UN TRAGO CON NOSOTROS. SOMOS ESCRITORES Y QUEREMOS HABLAR DE *HOWL* CON USTED.
23
¡CÓMO NO! PERO PRIMERO, ¿ME PUEDEN DECIR CÓMO QUITARME UNAS LADILLAS QUE SE ME PEGARON EN MÉXICO?
¡JA JA! ¡POR SUPUESTO! AQUÍ HAY UNA FARMACIA ABIERTA. VAMOS A BUSCAR UNGÜENTO DE SOLDADO.
FARMACIA
SE REUNIERON CON EL RESTO DEL GRUPO, INCLUYENDO A JOSÉ MARIO, Y FUERON AL CLUB ATELIER, UN CUCHITRIL EN LAS CALLES 17 Y 6.
CUÉNTENOS DE LOS BEATLES.
HÁBLENME SOBRE LA LIBERTAD SEXUAL EN CUBA.
CUÉNTENME DE LA REVOLUCIÓN.
¿Y LA MARIGUANA, QUÉ?
¿QUÉ COSA ES LA MÚSICA 'FILIN'?
¿QUIENES SON LOS 'ENFERMITOS'?
¿Y CÓMO ES QUE ME INVITARON SI SE PERSIGUE A LA GENTE POR CÓMO SE VISTE?
LE RELATARON A GINSBERG DE LAS DEPURACIONES EN LAS ESCUELAS DE ARTE, EN LA UNIVERSIDAD, DE LOS HOMOSEXUALES. AL DÍA SIGUIENTE, GINSBERG LOS LLEVÓ A SU HABITACIÓN EN EL HOTEL RIVIERA, DESPUÉS DE PELEARSE CON EL ASCENSORISTA Y LA RECEPCIÓN, YA QUE SE PROHIBÍA A LOS CUBANOS ENTRAR EN LAS HABITACIONES DE EXTRANJEROS.
MIRE, ALLEN, LE TRAJIMOS ALGUNOS DE LOS LIBROS QUE ESTAMOS PUBLICANDO EN EL PUENTE...

AHORA UN REPRESENTANTE DEL PERIÓDICO DEL PARTIDO COMUNISTA, *HOY*, ENTRÓ EN LA HABITACIÓN PARA ENTREVISTAR A GINSBERG.

EN LOS DÍAS QUE SIGUIERON, NO TARDARON LOS ARRESTOS DE LOS JÓVENES POETAS, ACUSADOS DE 'ASOCIARSE CON EXTRANJEROS'. CUANDO GINSBERG SE ENTERÓ, INTENTÓ INTERVENIR ANTE LAS AUTORIDADES CULTURALES. PUSIERON EN LIBERTAD A JOSÉ MARIO Y LUEGO, UNA Y OTRA VEZ, LO ARRESTARON DE NUEVO, COMO A TODOS SUS AMIGOS Y A CASI TODOS LOS QUE TUVIERON CONTACTO CON GINSBERG SIN AUTORIZACIÓN.

TODO EL MUNDO CULTURAL DE LA HABANA HABLABA DEL ESCÁNDALO. EDDY PÉREZ TENT, UN AMIGO DE AULA Y MIEMBRO DEL CÍRCULO DE MÓNICA, DURANTE UN TIEMPO DESPLAZÓ A GINSBERG EN SU MOTO Y NOS CONTABA LOS CHISMES.

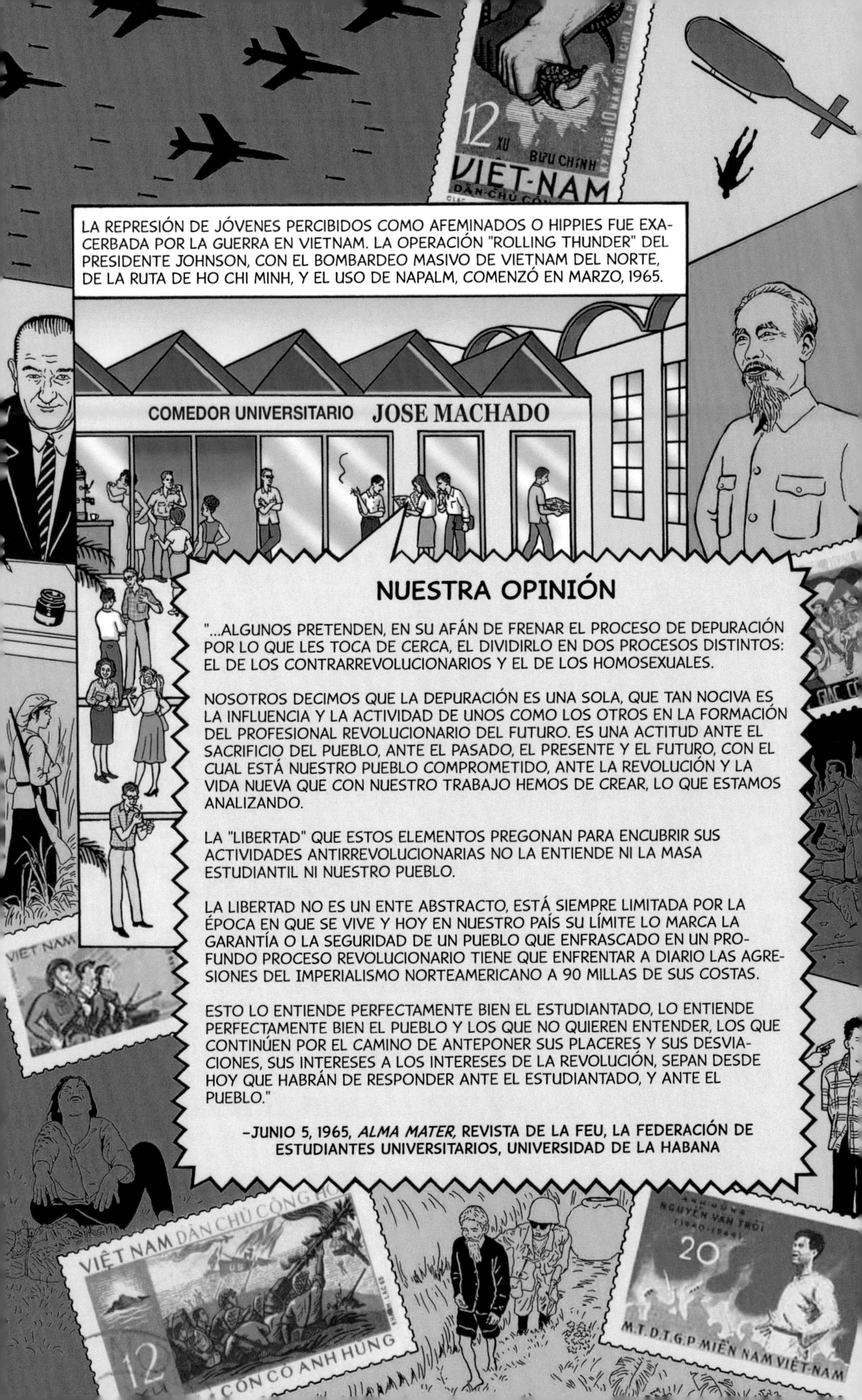
LA REPRESIÓN DE JÓVENES PERCIBIDOS COMO AFEMINADOS O HIPPIES FUE EXACERBADA POR LA GUERRA EN VIETNAM. LA OPERACIÓN "ROLLING THUNDER" DEL PRESIDENTE JOHNSON, CON EL BOMBARDEO MASIVO DE VIETNAM DEL NORTE, DE LA RUTA DE HO CHI MINH, Y EL USO DE NAPALM, COMENZÓ EN MARZO, 1965.
12 XU
BƯU CHÍNH
VIỆT-NAM
COMEDOR UNIVERSITARIO JOSE MACHADO
NUESTRA OPINIÓN
"...ALGUNOS PRETENDEN, EN SU AFÁN DE FRENAR EL PROCESO DE DEPURACIÓN POR LO QUE LES TOCA DE CERCA, EL DIVIDIRLO EN DOS PROCESOS DISTINTOS: EL DE LOS CONTRARREVOLUCIONARIOS Y EL DE LOS HOMOSEXUALES.
NOSOTROS DECIMOS QUE LA DEPURACIÓN ES UNA SOLA, QUE TAN NOCIVA ES LA INFLUENCIA Y LA ACTIVIDAD DE UNOS COMO LOS OTROS EN LA FORMACIÓN DEL PROFESIONAL REVOLUCIONARIO DEL FUTURO. ES UNA ACTITUD ANTE EL SACRIFICIO DEL PUEBLO, ANTE EL PASADO, EL PRESENTE Y EL FUTURO, CON EL CUAL ESTÁ NUESTRO PUEBLO COMPROMETIDO, ANTE LA REVOLUCIÓN Y LA VIDA NUEVA QUE CON NUESTRO TRABAJO HEMOS DE CREAR, LO QUE ESTAMOS ANALIZANDO.
LA "LIBERTAD" QUE ESTOS ELEMENTOS PREGONAN PARA ENCUBRIR SUS ACTIVIDADES ANTIRREVOLUCIONARIAS NO LA ENTIENDE NI LA MASA ESTUDIANTIL NI NUESTRO PUEBLO.
LA LIBERTAD NO ES UN ENTE ABSTRACTO, ESTÁ SIEMPRE LIMITADA POR LA ÉPOCA EN QUE SE VIVE Y HOY EN NUESTRO PAÍS SU LÍMITE LO MARCA LA GARANTÍA O LA SEGURIDAD DE UN PUEBLO QUE ENFRASCADO EN UN PROFUNDO PROCESO REVOLUCIONARIO TIENE QUE ENFRENTAR A DIARIO LAS AGRESIONES DEL IMPERIALISMO NORTEAMERICANO A 90 MILLAS DE SUS COSTAS.
ESTO LO ENTIENDE PERFECTAMENTE BIEN EL ESTUDIANTADO, LO ENTIENDE PERFECTAMENTE BIEN EL PUEBLO Y LOS QUE NO QUIEREN ENTENDER, LOS QUE CONTINÚEN POR EL CAMINO DE ANTEPONER SUS PLACERES Y SUS DESVIACIONES, SUS INTERESES A LOS INTERESES DE LA REVOLUCIÓN, SEPAN DESDE HOY QUE HABRÁN DE RESPONDER ANTE EL ESTUDIANTADO, Y ANTE EL PUEBLO."
–JUNIO 5, 1965, *ALMA MATER,* REVISTA DE LA FEU, LA FEDERACIÓN DE ESTUDIANTES UNIVERSITARIOS, UNIVERSIDAD DE LA HABANA
VIỆT NAM
VIỆT NAM DÂN CHỦ CỘNG HÒA
12
CÔN CÒ ANH HÙNG
NGUYỄN VĂN TRỖI
20
M.T.D.T.G.P MIỀN NAM VIỆT-NAM

UNIVERSIDAD DE LA HABANA
DOS AÑOS ATRÁS, CUANDO YO TODAVÍA ASISTÍA AL PREUNIVERSITARIO, FIDEL DIO UN DISCURSO QUE PREPARÓ EL TERRENO PARA LAS PURGAS ACTUALES. HABLÓ EN LA NOCHE DEL 13 DE MARZO DE 1963 EN LA ESCALINATA, EL CENTENAR LARGO DE ESCALONES POR EL QUE SE ACCEDÍA A LA UNIVERSIDAD DE LA HABANA.
CLARO, POR AHÍ ANDA UN ESPÉCIMEN, OTRO SUBPRODUCTO QUE NOSOTROS DEBEMOS DE COMBATIR. ES ESE JOVEN QUE TIENE 16, 17, 15 AÑOS, Y NI ESTUDIA, NI TRABAJA; ENTONCES, ANDAN DE LUMPEN, EN ESQUINAS, EN BARES, VAN A ALGUNOS TEATROS, Y SE TOMAN ALGUNAS LIBERTADES Y REALIZAN ALGUNOS LIBERTINAJES. UN JOVEN QUE NI TRABAJE, NI ESTUDIE, ¿QUÉ PIENSA DE LA VIDA? ¿PIENSA VIVIR DE PARÁSITO? ¿PIENSA VIVIR DE VAGO? ¿PIENSA VIVIR DE LOS DEMÁS? SI LOS IMPERIALISTAS NO LOS RECIBEN ALLÁ EN SU 'MUNDO LIBRE', QUE SE PREPAREN TAMBIÉN A TRABAJAR.
¡APLAUSOS!
¡...SON UNOS DESCARADOS!... SEÑORES, NO SE OLVIDEN DE ESTO... QUE AL IGUAL QUE LA REVOLUCIÓN UNE LO MEJOR, LO MÁS FIRME, LO MÁS ENTUSIASTA, LO MÁS VALIOSO; LA CONTRARREVOLUCIÓN AGLUTINA A LO PEOR, DESDE EL BURGUÉS HASTA EL MARIGUANERO, DESDE EL ESBIRRO HASTA EL RATERO, DESDE EL DUEÑO DE CENTRAL HASTA EL VAGO PROFESIONAL, EL VICIOSO; Y TODO ESE ELEMENTO SE JUNTA PARA DAR BATALLA A LA LEY, Y A LA REVOLUCIÓN, A LA SOCIEDAD, PARA VIVIR DE VAGOS, PARA ESTORBAR. TODO, LO PEOR, SE JUNTA. NO LO OLVIDEN NUNCA, NO LO OLVIDEN NUNCA...
¡LOS FLOJOS DE PIERNA! ¡LOS HOMOSEXUALES!
¡APLAUSOS!
¡... NO ME HAN DEJADO COMPLETAR LA IDEA! MUCHOS DE ESOS PEPILLOS VAGOS, HIJOS DE BURGUESES, ANDAN POR AHÍ CON UNOS PANTALONCITOS DEMASIADO ESTRECHOS; ALGUNOS DE ELLOS CON UNA GUITARRITA EN ACTITUDES 'ELVIS-PRESLIANAS', Y QUE HAN LLEVADO SU LIBERTINAJE A EXTREMOS DE QUERER IR A ALGUNOS SITIOS DE CONCURRENCIA PÚBLICA A ORGANIZAR SUS SHOWS FEMINOIDES POR LA LIBRE. QUE NO CONFUNDAN LA SERENIDAD DE LA REVOLUCIÓN Y LA ECUANIMIDAD DE LA REVOLUCIÓN CON DEBILIDADES DE LA REVOLUCIÓN. PORQUE NUESTRA SOCIEDAD NO PUEDE DARLES CABIDA A ESAS DEGENERACIONES.
¡APLAUSOS!
¡LA SOCIEDAD SOCIALISTA NO PUEDE PERMITIR ESE TIPO DE DEGENERACIONES!

MIENTRAS LA CACERÍA DE BRUJAS ARRECIABA EN LA UNIVERSIDAD, ESTUDIANTES DE "LOS PAÍSES HERMANOS" —POLONIA, BULGARIA, ALBANIA Y RUMANIA—, MONTARON UN ANIMADO NEGOCIO EN BOLSA NEGRA [MERCADO NEGRO] PARA VENDER CARPETAS DE PIEL O DE PLÁSTICO.

LOS ESTUDIANTES DE VIETNAM A VECES NOS LLENABAN DE ASOMBRO...

EN EL HOTEL SIERRA MAESTRA Y EN EL CLUB PARA TÉCNICOS EXTRANJEROS, LAS AMAS DE CASA RUSAS BUSCABAN ORO ENTRE SUS CONTACTOS CUBANOS, DESESPERADOS POR OBTENER ALGÚN DINERO CON QUE COMPRAR COMIDA EN LA BOLSA NEGRA. POR UN TIEMPO YO INTERCAMBIÉ CLASES PRIVADAS DE INGLÉS CONVERSACIONAL POR RUSO ELEMENTAL CON LA ESPOSA DE UNO DE LOS COLEGAS DE TED. NOS VEÍAMOS EN SU APARTAMENTO SEMANALMENTE PARA ACOMPAÑAR LAS CLASES CON DULCES Y TÉ.

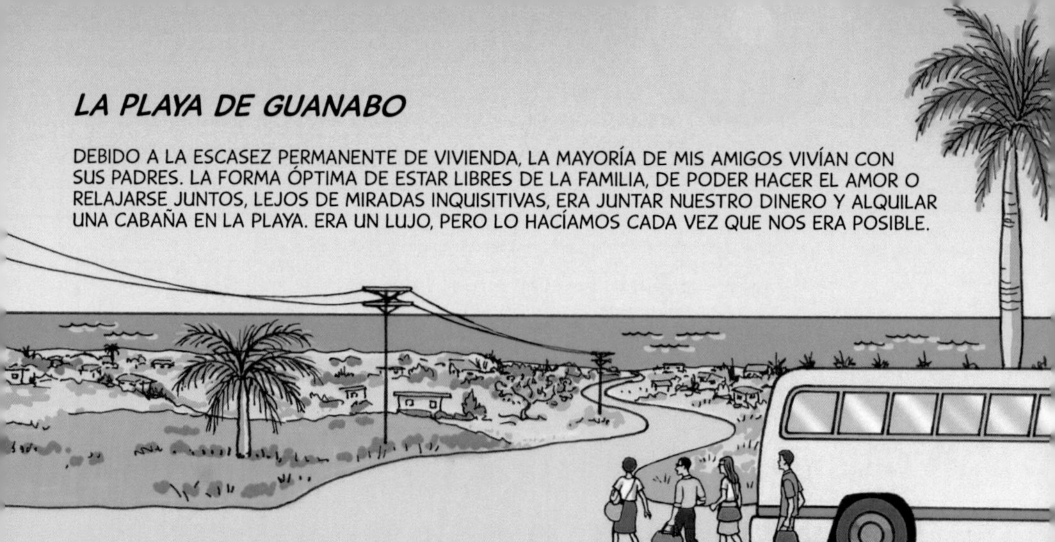

LA PLAYA DE GUANABO
DEBIDO A LA ESCASEZ PERMANENTE DE VIVIENDA, LA MAYORÍA DE MIS AMIGOS VIVÍAN CON SUS PADRES. LA FORMA ÓPTIMA DE ESTAR LIBRES DE LA FAMILIA, DE PODER HACER EL AMOR O RELAJARSE JUNTOS, LEJOS DE MIRADAS INQUISITIVAS, ERA JUNTAR NUESTRO DINERO Y ALQUILAR UNA CABAÑA EN LA PLAYA. ERA UN LUJO, PERO LO HACÍAMOS CADA VEZ QUE NOS ERA POSIBLE.

GUANABO, A POCOS KILÓMETROS AL ESTE DE LA HABANA, ERA UN LUGAR FAVORITO. LO MÁS ANGUSTIANTE ERA LLEGAR SIN SER VISTOS POR LOS MIEMBROS DE LA UJC. POR SUPUESTO, SE SABÍA MÁS O MENOS QUIÉN ERA GAY, PERO LO QUE CONTABA ERA NO SER VISTO FRECUENTEMENTE CON ALGUIEN DEL MISMO SEXO. EL ARMA MÁS EFECTIVA PARA HUNDIR AL PRÓJIMO ERA ACUSARLO DE SER HOMOSEXUAL O CONTRARREVOLUCIONARIO.

EN LA PLAYA NO HABÍA DÓNDE COMPRAR VÍVERES, BEBIDA O CIGARROS, ASÍ QUE LLEVÁBAMOS LO NECESARIO DESDE CASA Y COCINÁBAMOS EN NUESTRA CABAÑA, CON UN EQUIPAMIENTO BÁSICO.

TA TRAS SU OBSESIÓN DE
COMERSE A LA MUCHACHA.

LAS CAPERUCITAS SE COSECHAN EN PRIMAVERA

PERO LA PLAYA NO NOS PODÍA PROTEGER DE LAS TORMENTAS EN LA UNIVERSIDAD, DE LAS DEPURACIONES ENARDECIDAS. EL GUSTO POR EL CINE EXTRANJERO, INCLUSO DE "PAÍSES HERMANOS" COMO CHECOSLOVAQUIA, CAYÓ BAJO SOSPECHA. *EL AMOR SE COSECHA EN VERANO* ERA UNA COMEDIA ROMÁNTICA SOBRE UNOS JÓVENES INCONFORMISTAS Y SE IDENTIFICÓ CON LOS DILETANTES DE MUÑECAS FLOJAS EN EL MUNDO CULTURAL.

LA REVISTA *MELLA* DECLARÓ DESPECTIVAMENTE QUE EN MANOS DE UN CINEASTA EXTRANJERO LA CAPERUCITA ROJA SE LLAMARÍA "LAS CAPERUCITAS SE COSECHAN EN PRIMAVERA".

¿A DÓNDE VAS, NIÑA?
VOY AL CABARET DE MI ABUELA. ESTOY CANTANDO ALLÍ EN EL SHOW.

¿QUÉ HAREMOS CON LOS GUSANOS CONTRARREVOLUCIONARIOS?

"¡HAY QUE HERVIRLOS!"

MELLA, JUNIO 7, 1965

¡HAY QUE HERVIRLOS!

COMO DIJO EL FILÓSOFO MEDIEVAL PRUDENCIO GOLLEJO, AL AGUA DE POZO HAY QUE HERVIRLA... PERO ES QUE HAY "MICROBIOS" MUCHO MÁS PELIGROSOS QUE LAS AMEBAS... Y A ESOS TAMBIÉN HAY QUE HERVIRLOS...

EN ESA TAREA ESTÁN AHORA LOS JÓVENES ESTUDIANTES UNIVERSITARIOS Y TAMBIÉN LOS DE LOS PRE-UNIVERSITARIOS, LOS DE LOS INSTITUTOS DE ADMINISTRACIÓN Y COMERCIO E INSTITUTOS TECNOLÓGICOS.

NUESTRO PUEBLO ESTÁ PLENAMENTE DE ACUERDO CON ESTA MEDIDA DE PROFILAXIS...

¿QUÉ SE PUEDE HACER CON LOS ANTISOCIALES QUE SE NIEGAN A INTEGRARSE EN LA REVOLUCIÓN? ¿LA LACRA QUE NO TRABAJA NI ESTUDIA? ¿LOS RELIGIOSOS? ¿LOS PERVERTIDOS?
PROPONEMOS UNA FUERZA OBLIGATORIA, DESARMADA, UNA FUERZA PRODUCTIVA SEPARADA DEL SMO (SERVICIO MILITAR OBLIGATORIO).
¡SÍ! LA LLAMAREMOS LA UMAP. ¡UNIDADES MILITARES DE AYUDA A LA PRODUCCIÓN!
UMAP
UN DÍA DE NOVIEMBRE DE 1965, NUESTRO AMIGO GUSTAVO VENTOSO DESAPARECIÓ.
MANDARIN
FARMACIA
UNA TARDE TEMPRANO, GUSTAVO, UN ESTUDIANTE EJEMPLAR DE LENGUAS CLÁSICAS, Y NUESTRO PROFESOR DE LATÍN, DR. NICOLÁS FARRAY, CONVERSABAN EN LA ESQUINA DE L Y 23 EN LA RAMPA. SUPIMOS QUE GUSTAVO HABÍA DESAPARECIDO Y TEMÍAMOS LO PEOR. LOS RUMORES ABUNDABAN SOBRE LA CREACIÓN DE CAMPOS DE TRABAJO FORZADO, LAS "UNIDADES MILITARES DE AYUDA A LA PRODUCCIÓN".
¡MARICONES!
¡HAMBRE!
¡HAMBRE!
¡AGUA!

UMAP: forja de ciudad.
Brillante iniciativa de cuadros militares
Fidel les dio el nombre. Un ejército más con que cuenta el pueblo para defenderse
EMPRESA CONSOLIDADO
FARMACIA
TURNO MARTES
NADIE SUPO DE GUSTAVO POR SEIS MESES. NI SU FAMILIA NI SUS AMIGOS SABÍAN SI ESTABA VIVO O MUERTO.
FARMACIA
EL MUNDO, ABRIL 14, 1966
EL COMANDANTE ERNESTO CASILLAS, QUIEN TENÍA EL CONTROL DE TODAS LAS UMAPS EN CAMAGÜEY, CONVERSA CON UN SUBORDINADO.

"LAS DOS CORRIENTES DE LA REVOLUCIÓN MUNDIAL ESTARÁN ALLÍ REPRESENTADAS: LA CORRIENTE SURGIDA CON LA REVOLUCIÓN DE OCTUBRE Y LA DE LA REVOLUCIÓN NACIONAL LIBERADORA".
BEN BARKA, OCTUBRE 3, 1965
OCT. 3 & 4, 1965— NACE EL PARTIDO COMUNISTA Y EL PERIÓDICO GRANMA, SU ÓRGANO OFICIAL.
HOY
ALARMA DE COMB
REVOLUCION SEGUNDA EDICION
Granma
No hay sacrificio, combate o proeza que no estén representados en el Comité Central
de Cuba: nombre adoptado, interpretando estro Partido; conciencia revolucionaria de y los objetivos de nuestra Revolución
LA TRICONTINENTAL
LA CONFERENCIA DE LOS PUEBLOS DE ÁFRICA, ASIA Y AMÉRICA LATINA
ENERO 1966
FIDEL INVITÓ A LOS REVOLUCIONARIOS MÁS PROMINENTES DEL MUNDO A ESTA CUMBRE PARA LA UNIFICACIÓN DE LOS MOVIMIENTOS ANTICOLONIALES MUNDIALES, CON CUBA AL FRENTE.
COMO CORRESPONSAL PARA DAS ANDERE DEUTSCHLAND, MI MADRE LENORE LO PASÓ DE MARAVILLA AL ENTREVISTAR Y CODEARSE CON LOS FAMOSOS REVOLUCIONARIOS EN LAS RECEPCIONES A LAS QUE ELLA Y TED ASISTÍAN.
TRES ESTRELLAS DEL TERCER MUNDO: CHE GUEVARA MUERTO EN 1967
AMÍLCAR CABRAL MUERTO EN 1973
BEN BARKA SECUESTRADO Y DESAPARECIDO EN PARÍS, OCTUBRE 29, 1965
¡¿SE ENTERARON?! ¡ESTÁN RECOGIENDO A MILES Y LOS MANDAN PARA LA UMAP! SOLO HOMBRES HASTA AHORA: MARIGUANEROS, TESTIGOS DE JEHOVÁ, CATÓLICOS, LOCAS PARTIDAS Y OTROS COMO GUSTAVO.
ME DIJERON QUE LAS 'VIEJAS DE LETRAS' ESTÁN TRATANDO DE SACAR A GUSTAVO... PERO NADA PUEDEN HACER, CON TODA SU INFLUENCIA.
MIENTRAS TANTO, EN LA ESCUELA DE LETRAS CONTÁBAMOS CON RADIO BEMBA PARA TENER NOTICIAS DE LA UMAP.
CIRCULÓ EL RELATO DE UN PRESO AL QUE LLAMABAN ELEGGUÁ. UN DÍA NO SE SINTIÓ BIEN Y SE NEGÓ A TRABAJAR...

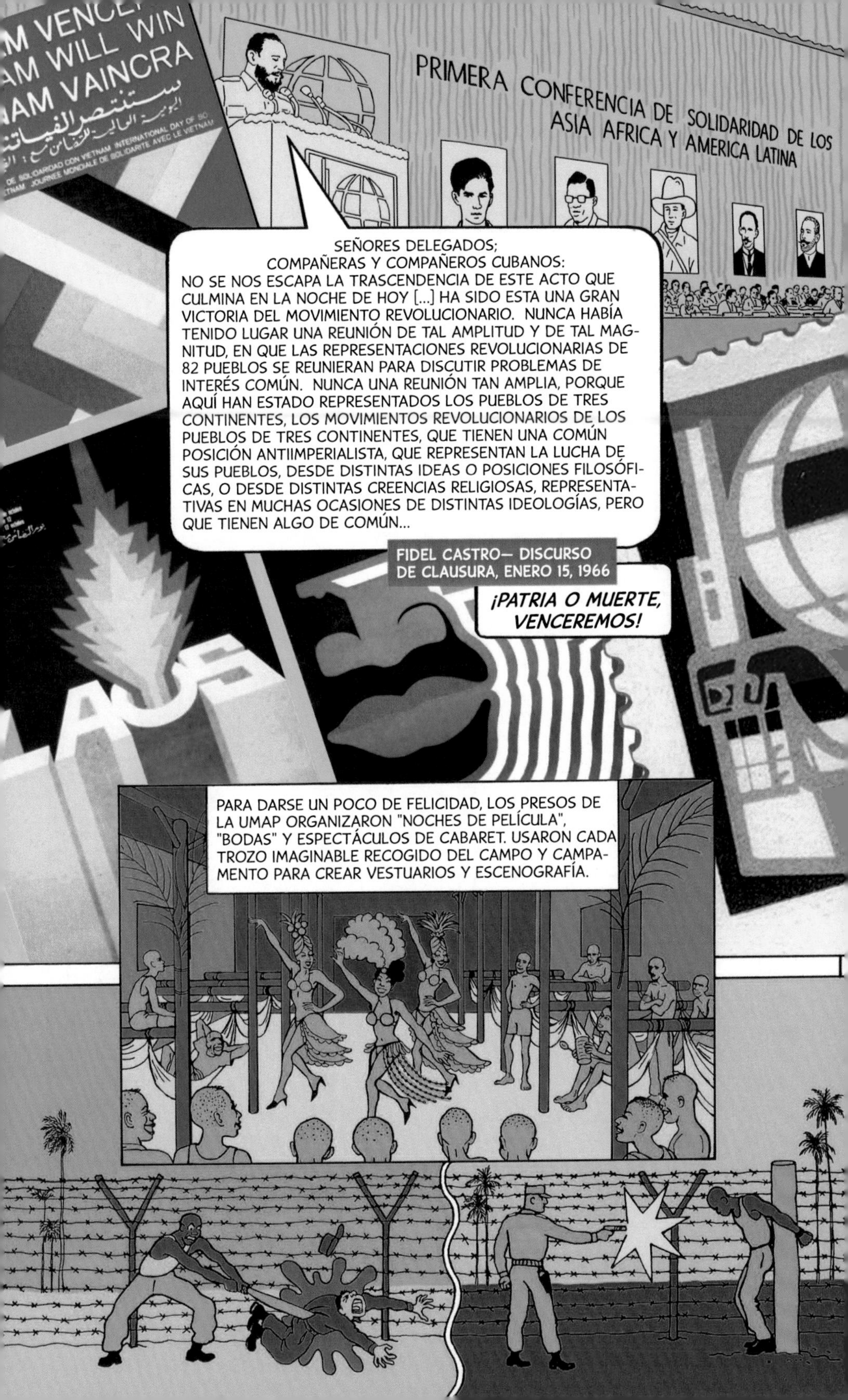
M VENCE
AM WILL WIN
AM VAINCRA
PRIMERA CONFERENCIA DE SOLIDARIDAD DE LOS ASIA AFRICA Y AMERICA LATINA
SEÑORES DELEGADOS;
COMPAÑERAS Y COMPAÑEROS CUBANOS:
NO SE NOS ESCAPA LA TRASCENDENCIA DE ESTE ACTO QUE CULMINA EN LA NOCHE DE HOY [...] HA SIDO ESTA UNA GRAN VICTORIA DEL MOVIMIENTO REVOLUCIONARIO. NUNCA HABÍA TENIDO LUGAR UNA REUNIÓN DE TAL AMPLITUD Y DE TAL MAGNITUD, EN QUE LAS REPRESENTACIONES REVOLUCIONARIAS DE 82 PUEBLOS SE REUNIERAN PARA DISCUTIR PROBLEMAS DE INTERÉS COMÚN. NUNCA UNA REUNIÓN TAN AMPLIA, PORQUE AQUÍ HAN ESTADO REPRESENTADOS LOS PUEBLOS DE TRES CONTINENTES, LOS MOVIMIENTOS REVOLUCIONARIOS DE LOS PUEBLOS DE TRES CONTINENTES, QUE TIENEN UNA COMÚN POSICIÓN ANTIIMPERIALISTA, QUE REPRESENTAN LA LUCHA DE SUS PUEBLOS, DESDE DISTINTAS IDEAS O POSICIONES FILOSÓFICAS, O DESDE DISTINTAS CREENCIAS RELIGIOSAS, REPRESENTATIVAS EN MUCHAS OCASIONES DE DISTINTAS IDEOLOGÍAS, PERO QUE TIENEN ALGO DE COMÚN...
FIDEL CASTRO— DISCURSO DE CLAUSURA, ENERO 15, 1966
¡PATRIA O MUERTE, VENCEREMOS!
PARA DARSE UN POCO DE FELICIDAD, LOS PRESOS DE LA UMAP ORGANIZARON "NOCHES DE PELÍCULA", "BODAS" Y ESPECTÁCULOS DE CABARET. USARON CADA TROZO IMAGINABLE RECOGIDO DEL CAMPO Y CAMPAMENTO PARA CREAR VESTUARIOS Y ESCENOGRAFÍA.

EN EL VERANO DE 1966 A TED Y FAMILIA LES TOCABA VACACIONES EN SU PAÍS, PAGADAS POR EL GOBIERNO COMO PARTE DE SU CONTRATO COMO TÉCNICO EXTRANJERO. SE FUERON A LOS ESTADOS UNIDOS POR UNAS SEIS SEMANAS, VÍA CANADÁ, EN UN BARCO DE CARGA CUBANO. MI PROGRAMA UNIVERSITARIO NO ME PERMITIÓ IRME CON ELLOS Y TUVE EL APARTAMENTO PARA MÍ SOLA.

¡AH, LA LIBERTAD! MÓNICA Y EL GRUPO SE INSTALARON EN CASA. DECIDIMOS CELEBRAR ESTE RESPIRO CON UNA FIESTA.

¡OIGAN! TENGO UNA IDEA. ¿QUÉ TAL SI LLEVO UN PEQUEÑO PROYECTOR DEL TRABAJO Y PONEMOS EL PORNO VIEJO QUE ENCONTRÉ EN EL ALMACÉN?

COMANDANTE EN JEFE ¡ORDENE!

¡QUÉ CÓMICO! ¡NUNCA HE VISTO UNO! ¡VAMOS!

HMM... BIEN, PERO CON CUIDADO. NI UNA PALABRA A NADIE. NOS PUEDEN BOTAR.

DESAFORTUNADAMENTE ALGUIEN HABLÓ Y CORRIÓ LA NOTICIA.

¿TE ENTERASTE DE LA FIESTA DE LA GRINGA?

¡DIOS MÍO! ¿SE ATREVERÁN?

¡COÑO! ¿SABES LO QUÉ PLANEAN ESOS PERVERTIDOS AHORA?

¡BUENAS! ME DIJERON QUE HAY UNA FIESTA DE LA ESCUELA...

¡JA, MIRA QUIÉN ES! ¿Y QUIÉN CARAJO INVITÓ A ESA HIJA DE PUTA A ESPIARNOS?

LA JUVENTUD COMUNISTA IDEÓ COLAR UN CUADRO POLÍTICO EN NUESTRA FIESTA.

ESPERAMOS CON REGOCIJO. FINALMENTE, EXHAUSTA, SE FUE DERROTADA A LAS TRES DE LA MADRUGADA, Y MONTAMOS EL PROYECTOR...
¡PA'L CARAJO! ¡NO SE VE NADA!
¡AY! ¡QUÉ DECEPCIÓN!
LA INCURSIÓN EN EL PECADO NO PUDO SER.

CARTA DE NERUDA A LOS CUBANOS

QUERIDOS compañeros:

Por infundada me extraña profundamente la preocupación que por mí ha expresado un grupo de escritores cubanos.* Los invito a tener en cuenta no sólo las especulaciones y mutilaciones de mis textos por cierta prensa yanqui, sino con mucha mayor razón la opinión de los comunistas norteamericanos.

Ustedes parecen ignorar que mi entrada a los Estados Unidos, al igual que la de escritores comunistas de otros países, se logró rompiendo las prohibiciones del Departamento de Estado, gracias a la acción de los intelectuales de izquierda. En los Estados Unidos y en los demás países que visité, mantuve mis ideas comunistas, mis principios inquebrantables y mi poesía revolucionaria. Tengo derecho a esperar y reclamar de ustedes, que me conocen, que no abriguen ni difundan inadmisibles dudas a este respecto. En los Estados Unidos y en todas partes, he sido escuchado y respetado sobre la base inamovible de lo que soy y seré siempre: un poeta que ... vida y su obra al servicio de ... arte tengo una inquietud más ... se están tratando diferencias

... er el acento en la responsabi- ... llo de la necesaria unidad an- ... y todas las fuerzas revolucio- ... des, como lo he hecho a través ... revolución cubana. Fraternal-

ALEJO CARPENTIER

PABLO NERUDA

UN DÍA GUSTAVO REAPARECIÓ DE PRONTO Y NOS CONTÓ LO QUE LE HABÍA PASADO EN LA UMAP.

TENGO UN PASE DE 15 DÍAS. TENGO QUE VOLVER. NO HAY ESCAPE. NO ME QUEDA OPCIÓN. NOS VIGILAN A TODOS.

NICOLÁS GUILLÉN

DE LOS CUBANOS

... cionario ... vechadas

... lados en ... ctos por ... nos atu- ... icio que

... y en su

VIVIMOS EN BARRACONES ASQUEROSOS, TRAS ALAMBRE DE PÚAS Y TORRES DE GUARDIA. LA COMIDA ES HORRIBLE Y DE CASTIGO LOS OFICIALES OBLIGAN A LOS QUE DESOBEDEZCAN A PERMANECER DE PIE TODA LA NOCHE EN HOYOS CAVADOS EN EL CAMPAMENTO.

CUANDO TERMINE MI SENTENCIA, ME VOY DEL PAÍS COMO SEA, SI NO, ME MUERO. NO PUEDO VIVIR MÁS AQUÍ.

FERNÁNDEZ RETAMAR

MIGUEL BARNET

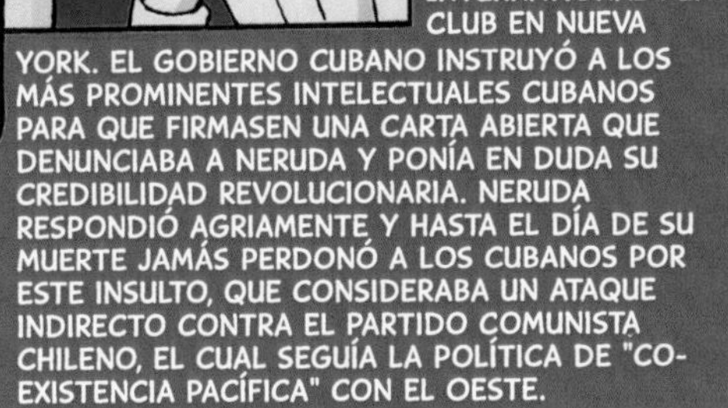

JUNIO, 1966— PABLO NERUDA, CÉLEBRE POETA REVERENCIADO Y CONOCIDO COMUNISTA CHILENO, FUE INVITADO AL INTERNATIONAL PEN CLUB EN NUEVA YORK. EL GOBIERNO CUBANO INSTRUYÓ A LOS MÁS PROMINENTES INTELECTUALES CUBANOS PARA QUE FIRMASEN UNA CARTA ABIERTA QUE DENUNCIABA A NERUDA Y PONÍA EN DUDA SU CREDIBILIDAD REVOLUCIONARIA. NERUDA RESPONDIÓ AGRIAMENTE Y HASTA EL DÍA DE SU MUERTE JAMÁS PERDONÓ A LOS CUBANOS POR ESTE INSULTO, QUE CONSIDERABA UN ATAQUE INDIRECTO CONTRA EL PARTIDO COMUNISTA CHILENO, EL CUAL SEGUÍA LA POLÍTICA DE "COEXISTENCIA PACÍFICA" CON EL OESTE.

ALFREDO GUEVARA

JOSÉ TRIANA

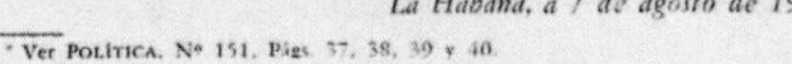

La Habana, a 7 de agosto de 1966.

* Ver POLÍTICA, Nº 151, Págs. 37, 38, 39 y 40.

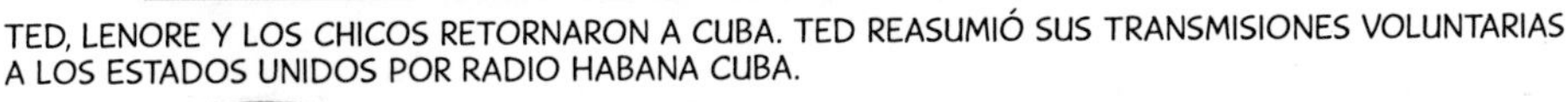

POLÍTICA, REVISTA MEXICANA, AGOSTO 15, 1966

TED, LENORE Y LOS CHICOS RETORNARON A CUBA. TED REASUMIÓ SUS TRANSMISIONES VOLUNTARIAS A LOS ESTADOS UNIDOS POR RADIO HABANA CUBA.

PUEDO DECIRLES QUE EL PANORAMA DE LIBERTAD INDIVIDUAL AQUÍ ESTÁ TAN CERCA DEL IDEAL UTÓPICO DE LA INTELECTUALIDAD LIBERAL AMERICANA, QUE, SI FUERA MÁS, LA ECONOMÍA SE INTERRUMPIRÍA...

LOS ARTISTAS NO SÓLO ESCRIBEN Y PINTAN LO QUE LES DA LA GANA, ALGUNOS PRODUCEN BASURA EXTRAÑA PARTICULARMENTE HORRIBLE, TODO CON SUBSIDIOS DEL GOBIERNO. QUE QUE YO SEPA, NO HAY FAVORITISMO ENTRE MALOS Y BUENOS; TODOS RECIBEN ESTIPENDIOS COMO ARTISTAS.

LA POLÍTICA GUBERNAMENTAL SOBRE LO QUE SE ESPERABA DE LOS ARTISTAS Y ESCRITORES, LO QUE SE PERMITIRÍA EN LAS ARTES, EN CUANTO A ESTILO Y CONTENIDO, YA SE HABÍA DICTADO POR FIDEL EN 1961 DURANTE UNA FAMOSA REUNIÓN CON LOS INTELECTUALES CUBANOS: "CON LA REVOLUCIÓN TODO, CONTRA LA REVOLUCIÓN NADA."

EN 1965, ASÍ ES COMO LA REVISTA COMUNISTA JUVENIL *MELLA* INTERPRETÓ ESTA POLÍTICA.

MELLA, OCTUBRE 4, 1965—
REVISTA DEL PERIÓDICO DE LA UJC (UNIÓN DE JÓVENES COMUNISTAS) *JUVENTUD REBELDE*

UN ARBOLITO DE NAVIDAD EN LA ESCUELA DE LETRAS

LA NOCHEBUENA TRADICIONAL EN CUBA, UN DÍA DE FIESTA MUY QUERIDO, SE CELEBRABA CON UNA COMIDA DE PUERCO ASADO, YUCA CON MOJO, CONGRÍ, PLÁTANOS FRITOS, TURRONES ESPAÑOLES Y OTRAS DELICADEZAS. DESPUÉS DEL TRIUNFO DE LA REVOLUCIÓN, LA NAVIDAD SE ASOCIABA CON EL IMPERIALISMO YANQUI Y EN EL '69 FUE ABOLIDA OFICIALMENTE, POR INTERFERIR CON LA ZAFRA DE CAÑA. LOS ARBOLITOS DE NAVIDAD FUERON PROHIBIDOS.

MIRAMAR

CADA VEZ QUE YO ESTABA EN EL APARTAMENTO DE MI FAMILIA Y LIBRE DE TRABAJO PARA LA ESCUELA, NIKKI Y YO NOS ENCERRÁBAMOS JUNTAS DURANTE HORAS. ELLA SUFRÍA INMENSAMENTE EN SU ESCUELA Y MI CUARTO FUE SU OASIS. LA LECTURA Y LAS CANCIONES EN INGLÉS ERAN SU PASIÓN.

Capítulo 3

La Sierra Maestra

HUMANIDADES VA AL CAMPO— INVESTIGACIÓN SOCIAL EN LA SIERRA MAESTRA
ENERO 1967— CARLOS AMAT, EL DECANO DE HUMANIDADES, INFORMÓ AL ESTUDIANTADO QUE DURANTE DOS SEMANAS DE MARZO LOS ESTUDIANTES Y FACULTADES DE LAS ESCUELAS DE LETRAS Y ARTE, CIENCIA BIBLIOTECARIA, HISTORIA Y PERIODISMO SERÍAN DESPLEGADOS POR TODO EL PAÍS PARA DESARROLLAR DOS PROYECTOS DE INVESTIGACIONES SOCIALES LLAMADOS "CARA AL CAMPO."
A MÍ ME ASIGNARON AL GRUPO QUE IRÍA A LA SIERRA MAESTRA, EN LA PROVINCIA CONOCIDA ENTONCES POR ORIENTE Y AHORA POR SANTIAGO, CERCA DEL ÁREA DESDE DONDE FIDEL CASTRO CONDUJO SU GUERRA DE GUERRILLA CONTRA LA DICTADURA DE BATISTA.
... LOS ORGANISMOS E INSTITUCIONES COMIENZAN A SOLICITAR LA INVESTIGACIÓN DE ASPECTOS RELACIONADOS CON EL DESARROLLO SOCIOECONÓMICO DEL PAÍS. SE VISLUMBRAN ENTONCES LOS OBJETIVOS DE TRABAJO, Y SE DEFINE LA TAREA DEL INVESTIGADOR SOCIAL EN UN PAÍS QUE SE HA DADO A LA INGENTE OBRA DE DAR EL SALTO DEL SUBDESARROLLO AL DESARROLLO.
COMPAÑEROS, SE LES HA DIVIDIDO EN GRUPOS DE ESTUDIANTES Y PROFESORES DESTINADOS A 12 LOCALIDADES. PRESTEN ATENCIÓN AL ANUNCIARLES SUS NOMBRES Y LUGARES ASIGNADOS.

MEDIANTE ENTREVISTAS HECHAS DE PUERTA EN PUERTA CON LA POBLACIÓN CAMPESINA, NOS ENCOMENDARON HACER UN ESTUDIO LINGÜÍSTICO, MÁS UNA ENCUESTA DE OPINIONES SOCIO-POLÍTICAS, CON UNA DESCRIPCIÓN DE TODAS LAS FAMILIAS Y VIVIENDAS DE UNA SOLA PERSONA EN NUESTRAS ÁREAS.

DE NUESTRO GRUPO DE LA SIERRA, RECLUTÉ A MARTUGENIA, NATALIA, IRENE, RODRIGO Y ANDRÉS. NUESTRA DIRECTORA, VICENTINA ANTUÑA, ESTUVO DE ACUERDO Y HASTA PIDIÓ AYUDA DEL GUIÑOL NACIONAL DE CUBA. NOS EMPAREJARON CON MANOLO, UNO DE SUS ATREZZISTAS PRINCIPALES.

ASÍ NACIÓ CHONGOLO, NUESTRO MAESTRO DE CEREMONIAS. CUANDO TUVIMOS SUFICIENTES CABEZAS, NOS MUDAMOS A MI CASA PARA CREAR SUS CUERPOS, LEER MATERIALES Y PLANEAR NUESTRAS PRODUCCIONES.

EMPAQUETÉ NUESTRO EQUIPO EN UNA MALETA VIEJA QUE TED Y LENORE ME DEJARON LLEVAR Y ME DIRIGÍ A NUESTRO PUNTO DE PARTIDA. MI GRUPO VIAJÓ DURANTE 22 HORAS EN ÓMNIBUS, UN VIAJE AGOTADOR, HASTA SANTIAGO DE CUBA, EN LA COSTA SUR, 965 KILÓMETROS AL ESTE DE LA HABANA.

EN LOS PRIMEROS AÑOS DE LOS '70, DURANTE LA REPRESIÓN MASIVA DESATADA POR EL TENIENTE LUIS PAVÓN, PRESIDENTE DEL CONSEJO NACIONAL DE CULTURA, FUERON DEPURADOS Y CRUELMENTE MARGINADOS LOS CAMEJOS, LOS LEGENDARIOS FUNDADORES DEL GUIÑOL.

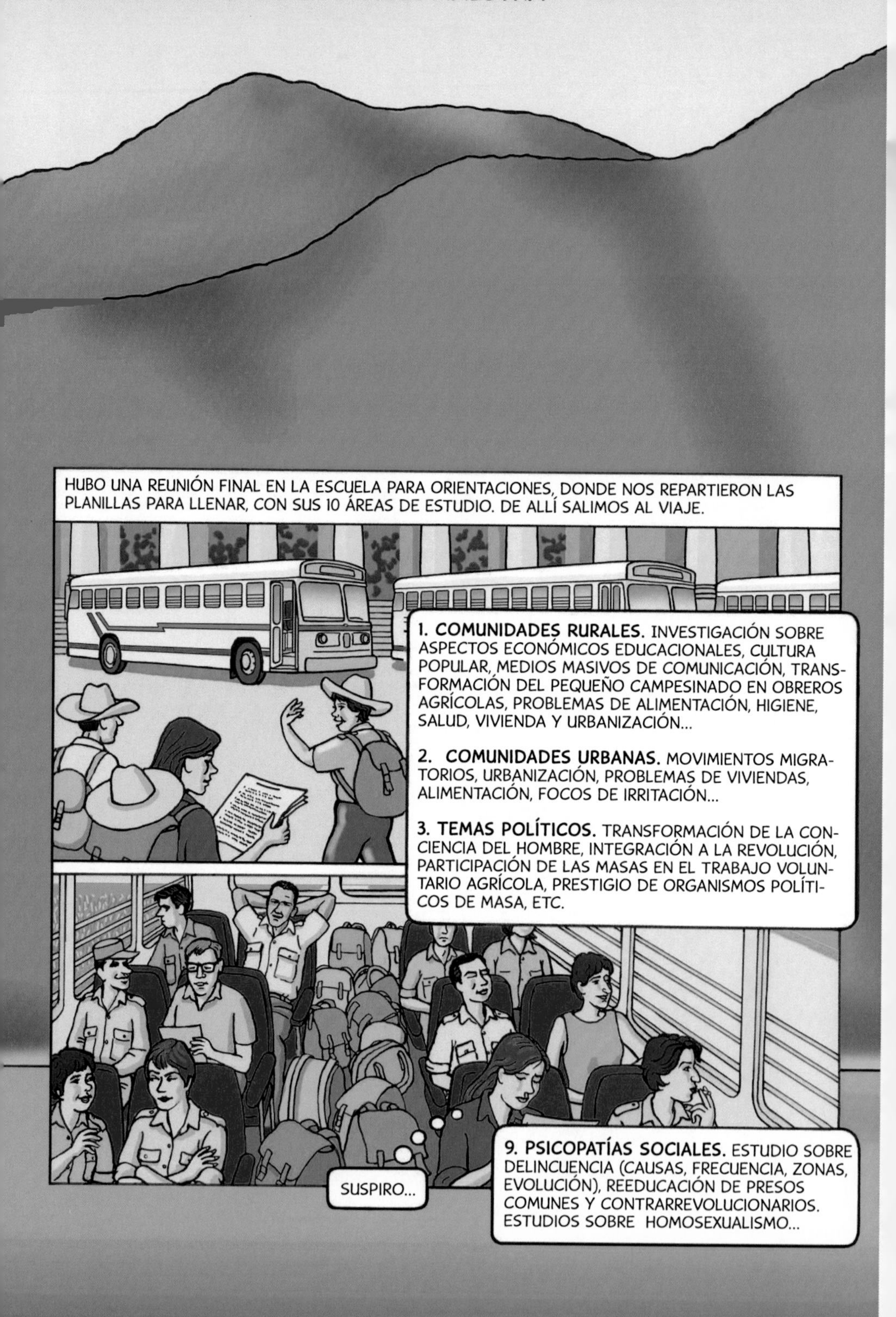

LAS MONTAÑAS DE LA SIERRA MAESTRA
HUBO UNA REUNIÓN FINAL EN LA ESCUELA PARA ORIENTACIONES, DONDE NOS REPARTIERON LAS PLANILLAS PARA LLENAR, CON SUS 10 ÁREAS DE ESTUDIO. DE ALLÍ SALIMOS AL VIAJE.
1. COMUNIDADES RURALES. INVESTIGACIÓN SOBRE ASPECTOS ECONÓMICOS EDUCACIONALES, CULTURA POPULAR, MEDIOS MASIVOS DE COMUNICACIÓN, TRANSFORMACIÓN DEL PEQUEÑO CAMPESINADO EN OBREROS AGRÍCOLAS, PROBLEMAS DE ALIMENTACIÓN, HIGIENE, SALUD, VIVIENDA Y URBANIZACIÓN...
2. COMUNIDADES URBANAS. MOVIMIENTOS MIGRATORIOS, URBANIZACIÓN, PROBLEMAS DE VIVIENDAS, ALIMENTACIÓN, FOCOS DE IRRITACIÓN...
3. TEMAS POLÍTICOS. TRANSFORMACIÓN DE LA CONCIENCIA DEL HOMBRE, INTEGRACIÓN A LA REVOLUCIÓN, PARTICIPACIÓN DE LAS MASAS EN EL TRABAJO VOLUNTARIO AGRÍCOLA, PRESTIGIO DE ORGANISMOS POLÍTICOS DE MASA, ETC.
SUSPIRO...
9. PSICOPATÍAS SOCIALES. ESTUDIO SOBRE DELINCUENCIA (CAUSAS, FRECUENCIA, ZONAS, EVOLUCIÓN), REEDUCACIÓN DE PRESOS COMUNES Y CONTRARREVOLUCIONARIOS. ESTUDIOS SOBRE HOMOSEXUALISMO...

LLENOS DE ILUSIONES, NOS SENTIMOS ROMÁNTICAMENTE REVOLUCIONARIOS. IRÍAMOS A AYUDAR A LOS CAMPESINOS, A DOCUMENTAR LAS FALTAS Y LOS LOGROS DE LA REVOLUCIÓN. REALIZARÍAMOS OBRAS PARA EL BIEN COMÚN CON NUESTRO TEATRO DE TÍTERES.
MMM... HAY MUCHOS DEL 'GREMIO' AQUÍ, ¿NO TE PARECE?
AY, SÍ, SEGURO. PERO CUÍDATE DE SONIA Y JACINTO...
NUESTRA JEFA Y CONSEJERA DE LA FACULTAD FUE ISABEL MONAL, NUESTRA PROFESORA DE "MATERIALISMO HISTÓRICO" Y "MARXISMO LENINISTA". ERA VETERANA DEL MOVIMIENTO 26 DE JULIO, TRABAJÓ EN LA ORGANIZACIÓN DE FIDEL CASTRO ANTES DEL TRIUNFO DE LA REVOLUCIÓN, Y LUEGO TUVO UN PUESTO IMPORTANTE EN EL APARATO CULTURAL ESTATAL EMERGENTE COMO FUNDADORA DEL TEATRO NACIONAL EN JUNIO, 1959.
¡ESCUCHEN, GENTE! ¡ESTAMOS AL LLEGAR A SANTIAGO! DORMIREMOS EN ALBERGUES DEL PARTIDO Y AL AMANECER PARTIREMOS PARA LAS MONTAÑAS, ASÍ QUE PREPÁRENSE Y SEAN PUNTUALES!

NUESTRA CARAVANA DE ÓMNIBUS VIEJOS SE DISPERSÓ POR TODO EL PAÍS. NUESTRO GRUPO, LUEGO DE LA NOCHE EN SANTIAGO, SALIÓ PARA CHIVIRICO, UN PEQUEÑO PUEBLO EN LA COSTA, AL PIE DE LA SIERRA MAESTRA.

EN LA HABANA SE DICE 'PLATANITOS' ¿CÓMO USTEDES LES DICEN AQUÍ?
PUES, ESOS SON 'GUINEITOS DE TAHITI'.
ESE MISMO DÍA REALIZAMOS LAS PRIMERAS ENTREVISTAS Y ENCUESTAS LINGÜÍSTICAS CON LOS CAMPESINOS QUE VIVÍAN CERCA DEL PUEBLO.
LA MAÑANA SIGUIENTE NOS BAÑAMOS AL FIN EN EL RÍO DE LA ALCARRAZA —LAS MUJERES PRIMERO Y LUEGO LOS HOMBRES.
¡PÓRTENSE BIEN!
ENSAYAMOS NUESTRO PROGRAMA Y RECIBIMOS LAS ORIENTACIONES PARA LOS PRÓXIMOS DÍAS.
¡ATENCIÓN, GENTE! ¡OIGAN ESTO! MAÑANA COMENZAMOS POR ROTAR LAS PAREJAS!
BIEN, PRIMERO SE REÚNEN LOS MATERIALES —AFFICHES VIEJOS, CORDÓN, REVISTAS, HARINA, CÁSCARAS DE COCO...- Y PUEDEN EMPEZAR A CREAR LOS PERSONAJES PARA SUS HISTORIAS.
¡CADA MAESTRO DEL CAMPO UN TITIRITERO!
FUE MI PRUEBA DE FUEGO, UNA CLASE SOBRE CÓMO CREAR TÍTERES SIMPLES CON MATERIALES A MANO, PARA LOS MAESTROS DE LA ZONA DE LA ALCARRAZA.

¡¡¡OHHHHH!!!! ¡NO HAY ASPIRINA... TENGO QUE SALIR DE AQUÍ..!
¡COÑO! ¡ME ESTÁN MATANDO ESTOS RETORTIJONES!
YO SÉ QUE ELLA TIENE SU CANECA DE RON POR AQUÍ...
PARA SUERTE MÍA, ESTA NOCHE ME TOCÓ LA TORMENTA MENSUAL...
¡AYYYY! ¡AYÚDAME!
¡GLUG, GLUG, GLUG!

LA MAÑANA SIGUIENTE LA DRA. MONAL LANZÓ UNA BÚSQUEDA...
¿¡DÓNDE ESTÁ ESA GRINGA!?
¡DOCTORA, AQUÍ! ¡SE DESMAYÓ BAJO ESTE ARBOLITO!
¡GRINGUITA! ¿QUÉ TE PASA?
¡JESÚS! ¡¡ACABÓ CON TODO EL RON!!
¡DURALGINA! ¡TRÁIGANME EL EQUIPO MÉDICO!
¡A VER, GRINGA LOCA, BAJA LOS PANTALONES, ESTO TE CALMARÁ!
¿¡QUÉ!? ¡USTED NO ES MÉDICO! ¡NO ME TOQUE!
¡AGUÁNTENLA! ¡NO TE MUEVAS, GRINGA!
¡DIOS!¡TIENE EL FONDILLO TAN DURO QUE SE PARTIÓ LA AGUJA!
¡VAMOS! ¡OTRA VEZ MÁS!
DAME LA MANO Y DANZAREMOS; DAME LA MANO Y ME AMARÁS. COMO UNA SOLA FLOR SEREMOS, COMO UNA FLOR, Y NADA MÁS...
ESA MAÑANA TUVIMOS UNA FUNCIÓN EN EL PATIO DE LA ESCUELA DE LA ALCARRAZA. USAMOS MUCHO DEL REPERTORIO MUSICAL DE TERESITA FERNÁNDEZ, A QUIÉN ESCUCHÁBAMOS EN EL COCTEL, UN CLUB BOHEMIO EN LA HABANA. LA RESACA FUE ÉPICA...

A MARTUGENIA Y LUCÍA LES ASIGNARON EL ESTUDIO DE LA CARIDAD, UN POBLADO PEQUEÑO EN LOS ALTOS DE LAS MONTAÑAS. DESPUÉS DE UNA CAMINATA LARGA LLEGARON A LA CASA DE SANTA, LA DIRIGENTE LOCAL DE LA FEDERACIÓN DE MUJERES Y SU FAMILIA. DESPUÉS DE LAS OBLIGATORIAS TACITAS DE CAFÉ, ABRIERON EL TEMA CON CAUTELA -¿QUÉ DIFICULTADES TENDRÁN LOS QUE AQUÍ VIVEN? FUE UNA PRECAUCIÓN INNECESARIA. SANTA Y SUS HOMBRES NO DEJARON DE HABLAR.

LA GENTE SE NOS ACERCABA EN CADA POBLADO QUE VISITAMOS. QUERÍAN QUE LA "GENTE DE FIDEL, DE LA GRAN CIUDAD" CONOCIERAN LA VIDA DE AQUÍ. PARA EL PESAR NUESTRO, EN UNA CASA SACRIFICARON SU CHIVO EN NUESTRO HONOR Y PREPARARON UN DELICIOSO CHILINDRÓN DE CHIVO.

¡NO SON JUSTOS LOS TRIBUNALES POPULARES! ¡ABUSAN EL PODER QUE TIENEN SOBRE NOSOTROS!
TENEMOS MUCHOS PROBLEMAS CON NUESTRO DELEGADO DEL PARTIDO, EL COMPAÑERO CUELLO...
DESPUÉS DEL CICLÓN FLORA EN EL '63, ESTO SE PUSO MUY MALO. HUBO CASAS DESTRUIDAS Y NUNCA REPARADAS.
TENEMOS PROBLEMAS SERIOS CON LA ANAP, LA ASOCIACIÓN NACIONAL DE AGRICULTORES PEQUEÑOS.
¡NO AYUDAN NADA, NO COMPRAN NUESTRAS TIERRAS, NO RESUELVEN NADA!
UNA MANADA DE GANADO ECHÓ A PERDER NUESTRAS COSECHAS. ¡NO NOS COMPENSARON! ¡NOS SANCIONARON!
NO NOS DEJAN SEMBRAR LO QUE QUEREMOS. LAS SEMILLAS LLEGAN TARDE, EL MAÍZ ESPECIALMENTE.
¡LOS JEFES DE LA ANAP SON ARROGANTES!
COMEMOS ANIMALES SALVAJES PORQUE NO HAY SUFICIENTE COMIDA... ¡JABALÍ, HALCONES, JUTÍAS!
MUCHOS CAMPESINOS DE ESTA ZONA HABÍAN TOMADO PARTE EN LA INSURRECCIÓN CONTRA BATISTA. TENÍAN UNA GRAN FE EN FIDEL Y EN EL EJÉRCITO, PERO NO EN EL PARTIDO.
UNA NOCHE UN AGUACERO INFILTRÓ EL TECHO DECRÉPITO DE NUESTRO ALBERGUE. ESTÁBAMOS A PUNTO DE CALENTAR UN POQUITO DE CHOCOLATE, ALGO PRECIADO, QUE IRENE TRAJO DE SU CASA, CUANDO DE PRONTO, TOCARON EN LA PUERTA...

¡LOS ENCONTRAMOS! ¡LA GENTE DE FIDEL CON LOS ENANITOS MÁGICOS QUE BAILAN!
¡QUEREMOS VER A LA AMERICANA BUENA!
¡VINIMOS A VER UNA FUNCIÓN!
FUE EL MEJOR ESPECTÁCULO DE NUESTRO VIAJE.
¡QUE PUTA SUERTE TIENE ESA GRINGA!
HACÍA UN FRÍO TREMENDO ESA NOCHE Y SE HABÍA MOJADO TODA LA ROPA DE CAMA MENOS MI SACO DE DORMIR. INVITÉ A IRENE, LA DIOSA INACCESIBLE PARA LAS LESBIANAS DEL GRUPO, A COMPARTIRLO. LE DECÍAMOS NEFERTITI. A LOS DIEZ SEGUNDOS IRENE RONCABA CONTENTÍSIMA Y YO PASÉ LA NOCHE EN VELA...
AL DÍA SIGUIENTE NUESTRO CAMIÓN SE DESCOMPUSO EN CAMINO A CEDILLA.
¡ESCUCHEN! ¡HAY QUE SEGUIR A PIE DE AQUÍ EN ADELANTE! ¡NOS ASIGNARON UN MULO PARA EL EQUIPAJE. ¡ALGUIEN TIENE QUE ENCARGARSE DE LA COMIDA Y DE CUIDAR AL MULO!
LUEGO, EN LA GUINEÍTA, NOS ENTERAMOS QUE ESTA ZONA TENÍA "TREMENDO PROBLEMA DE MARIGUANA".

AL DÍA SIGUIENTE NOS DIRIGIMOS HACIA LIMONCITO. LA CAMINATA FUE ARDUA Y DURÓ HORAS. FINALMENTE, LLEGAMOS CON NUESTRO MULO A LA TIENDA DEL PUEBLO, DONDE ALMORZAMOS.

EL SOL, EL SOL QUISIÉRAMOS, QUE USTED CON SU CALOR, DESPIERTE A MARGARITA CON LUZ Y CON AMOR!
¡CARACOL, CARACOL! ¡SACA TUS CUERNOS AL SOL!
PRESENTAMOS NUESTRA FUNCIÓN DE LA MARGARITA, IMPROVISAMOS UNA FARSA FRANCESA, Y CANTAMOS CANCIONES. COMO SIEMPRE, A LUCÍA SE LE OLVIDÓ LA MITAD DE SU TEXTO. PERO AQUÍ LOS NIÑOS SE PORTARON DE UNA FORMA MUY RARA. ALGO PASABA EN EL PUEBLO.

¡¿¡PERO, QUÉ DIABLOS ES ESTO!?!
EMPAQUETAMOS CON APURO NUESTRO EQUIPO SOBRE EL MULO Y NOS FUIMOS DE ALLÍ. PARA ANIMARNOS CANTAMOS ZARZUELAS ESPAÑOLAS DURANTE TODO EL TRAYECTO HASTA EL NUEVO CAMPAMENTO, DONDE DORMIMOS COMO TRONCOS.

TERMINADOS AHORA CON LA ZONA DE LA ALCARRAZA, EMPAQUETAMOS NUESTRAS MOCHILAS Y EL EQUIPO DE TÍTERES. NOS DESPEDIMOS DEL MULO Y NOS DIRIGIMOS AL SUR, A CHIVIRICO EN LA COSTA.

SEGUIMOS PARA MADRUGÓN A DORMIR, DAR UNA FUNCIÓN Y A REPARAR LOS TÍTERES. LUEGO NOS DIVIDIMOS PARA ESTUDIAR LOS POBLADOS CERCANOS Y NOS REAGRUPAMOS EN AJÍ ABAJO. SE DECÍA QUE HABÍA "CONFLICTOS RELIGIOSOS" EN EL ÁREA... MUCHAS FAMILIAS ADVENTISTAS VIVÍAN AQUÍ.
SOMOS DE LA HABANA...
YA LO SÉ. ¡TODOS USTEDES HACEN MUCHAS PREGUNTAS!
DICEN QUE EL GOBIERNO QUIERE QUITARNOS NUESTRA IGLESIA. ¡ES TODO LO QUE TENEMOS!
EL MAESTRO LOCAL DIRIGÍA UN ACTO EN LA ESCUELA CUANDO LLEGAMOS. TRATABA DE CONVENCERLOS PARA QUE INGRESARAN EN LOS PIONEROS, LA ORGANIZACIÓN INFANTIL DEL PARTIDO.
HABÍA UNA VEZ UN HOMBRE QUIEN SE MONTÓ EN UNA CAMA Y NO SE LEVANTÓ MÁS. DIJO QUE ERA DIOS.
OBLIGÓ A LOS DEMÁS A ADORARLO Y TRAERLE COMIDA. ERA UN TRAMPOSO, ¿NO VEN?
ESA NOCHE EL JEFE MILITAR DE LA ZONA, TENIENTE MORINO, Y EL MAESTRO NOS PIDIERON QUE HICIÉRAMOS UNA FUNCIÓN PARA ATRAER A LOS NIÑOS A LA MISMA HORA QUE SE REALIZABA UN SERVICIO DE LA IGLESIA.
¡QUIERO APLASTAR LA IGLESIA! NO LES DEJA INTEGRARSE EN EL PROCESO REVOLUCIONARIO.
¡NO, NO, NO, COMPAÑERO! ¡ASÍ NO FUNCIONA! ¡NO QUEREMOS ENAJENARLOS MEDIANTE LA CONFRONTACIÓN!

DE MADRUGADA SEGUIMOS POR LA COSTA HASTA OCUJAL, CON SURI, EL NUEVO CHOFER ASIGNADO POR EL TENIENTE MORINO. HICIMOS UNA PARADA POR EL CAMINO PARA ENCARGAR EN BOLSA NEGRA UNA PIEZA DE 15 LIBRAS DE QUESO BLANCO. TAN ADOLORIDOS ESTABAN NUESTROS FONDILLOS POR LA CARRETERA QUEBRADA QUE REGRESAMOS DE PIE POR TODO EL CAMINO.

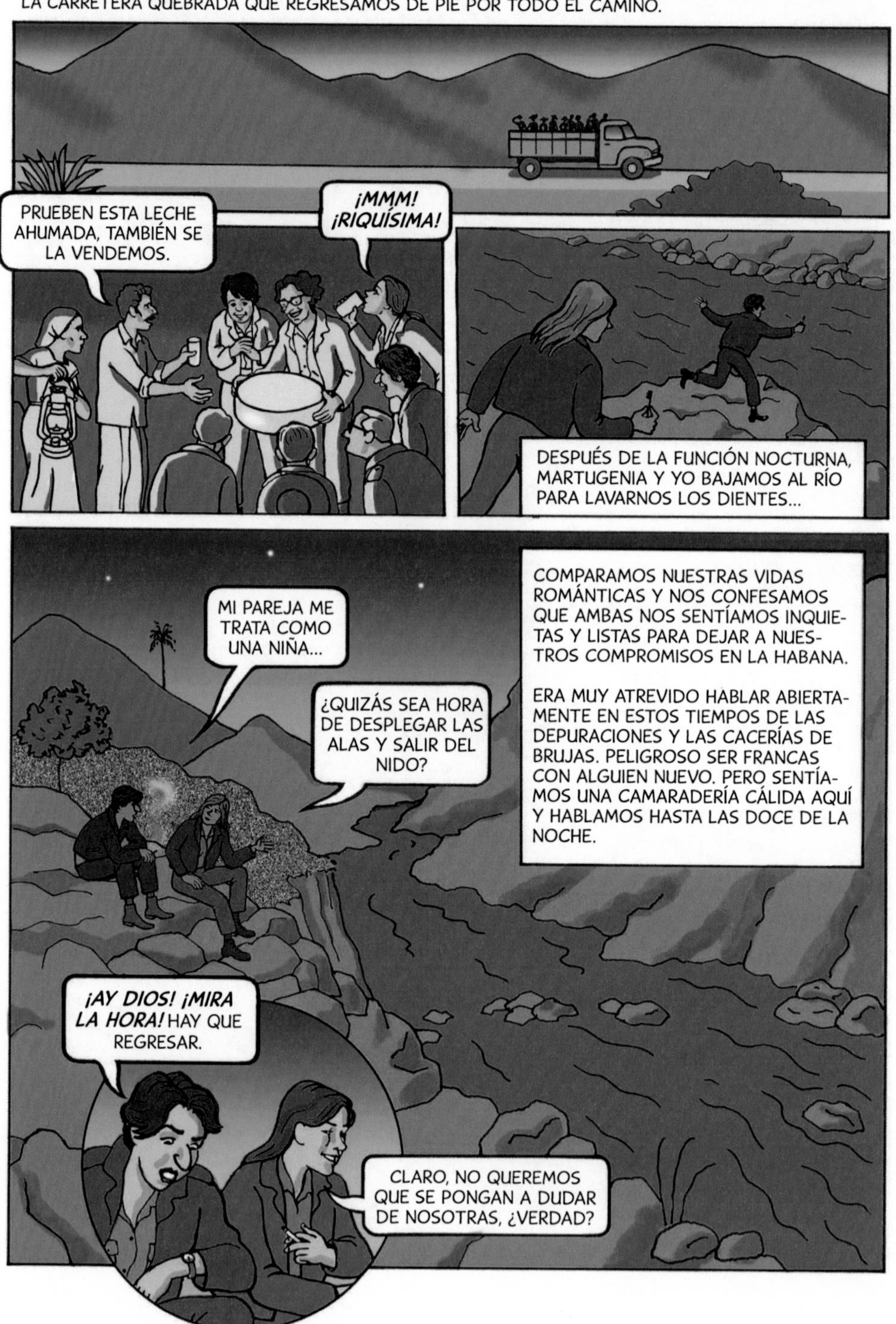

¡CRISTO! ¡LA PUERTA ESTÁ CERRADA!
VAMOS. BUSQUEMOS UNA VENTANA ABIERTA CON MI LINTERNA CAPITALISTA.
¡COMO HUCK Y TOM!
¡¡SHHH!!
A LOS POCOS DÍAS LLEGAMOS A LA ZARZA. NOS RECIBIERON EN LA ESCUELA REGIONAL DE CUADROS DEL PARTIDO COMUNISTA, EN UNA VILLA MODERNA DE DOS PISOS. NOS ESPERABAN CON UN BANQUETE GLORIOSO DE COMIDA DE VERDAD, CON "LA TÉCNICA DE EDUCACIÓN DE LA ESCUELA DEL PARTIDO" DE ANFITRIONA.
COMPAÑERA, ¿QUÉ ES LO QUE PASA EN LIMONCITO? LOS NIÑOS ERAN TAN HOSTILES, HASTA NOS TIRARON PIEDRAS...
HAY MUCHA AMARGURA EN LIMONCITO. TANTO EN LOS ADULTOS COMO EN LOS NIÑOS...
ES QUE... HUBO UNA SUBLEVACIÓN CONTRA LA REVOLUCIÓN EN EL ÁREA. FUE REPRIMIDA, POR SUPUESTO. MUCHOS DE LOS VECINOS DE LA ZONA PARTICIPARON. ERAN SEGUIDORES DEL CAPITÁN LUGO.
ADEMÁS, ESTA ZONA HABÍA SIDO FUERTEMENTE BOMBARDEADA POR EL GOBIERNO DE BATISTA.
Y LUEGO... POR ALGUNA RAZÓN MISTERIOSA, NACIERON GENTES ANORMALES... NIÑOS SIN ANO... COSAS HORRIBLES...
AHORA NO CONFÍAN EN NADIE.
UNOS DÍAS MÁS TARDE REGRESAMOS A SANTIAGO Y A LAS LUCES DE LA CIUDAD. PASAMOS EL TIEMPO CANTANDO. UNA CANCIÓN FAVORITA ERA DE LOS DÍAS UNIVERSITARIOS DE LA DOCTORA MONAL, DE SU TIEMPO EN "LAS ENTRAÑAS DEL MONSTRUO".

I WISH I WERE A FASCINATING BITCH, I'D NEVER BE SO POOR, I'D BE SO VERY RICH! I'D LIVE IN A HOUSE WITH A BIG RED LIGHT, SLEEP ALL DAY & WORK ALL NIGHT!
AND ONCE A MONTH I'D TAKE A HOLIDAY, JUST TO DRIVE THE CUSTOMERS WILD! I WISH I WERE A FASCINATING BITCH, INSTEAD OF AN ILLEGITIMATE CHILD!

MIRTA AGUIRRE

TRAS BAJAR DE LAS MONTAÑAS A FINALES DE MARZO, PASÉ MÁS Y MÁS TIEMPO CON MARTUGENIA. ÉRAMOS SIMPLES AMIGAS, AUNQUE YO SABÍA DESDE LA SIERRA QUE ME INTERESABA MÁS QUE ESO.

MIRTA AGUIRRE FUE UNA FIGURA LEGENDARIA EN LA ESCUELA DE LETRAS. ELLA JUGABA A LOS FAVORITOS Y YO TUVE LA SUERTE DE SER UNA. POBRES DE LOS QUE CAÍAN EN DESGRACIA CON ELLA. SERÍA UNA OPORTUNIDAD DE VERLA EN SU ÁMBITO FAMILIAR. ME INTRIGABA.

MIRTA TENÍA CREDENCIALES POLÍTICAS SUBLIMES AL HABER GANADO SU PUESTO EN EL CIELO COMUNISTA DURANTE LA DICTADURA SANGRIENTA DEL QUINTO PRESIDENTE DE CUBA, GERARDO MACHADO. TRAJO LAS CENIZAS DE CONTRABANDO DE JULIO ANTONIO MELLA DESDE LA CIUDAD DE MÉXICO A LA HABANA EN 1933. MELLA, EL FUNDADOR CARISMÁTICO DEL PARTIDO COMUNISTA DE CUBA, FUE ASESINADO EN MÉXICO Y SUS SEGUIDORES ESTABAN DECIDIDOS A TRAER SUS RESTOS A CUBA.

ELLA TENÍA LA REPUTACIÓN DE SER UNA ESTALINISTA IMPLACABLE, PERO A NOSOTRAS NUNCA NOS VIRÓ LA ESPALDA.

BANAO

A LAS SEIS SEMANAS DE CLASES EN MI SEGUNDO AÑO (DESPUÉS DEL PRE-CURSO DE 1964/65), ENVIARON A LOS ESTUDIANTES DE HUMANIDADES OTRA VEZ AL CAMPO POR UN MES, AL TRABAJO AGRÍCOLA EN BANAO, EN UN COMPLEJO DE GRANJAS EXPERIMENTALES EN LA VASTA ZONA AGRÍCOLA ENTRE TRINIDAD Y SANCTI SPIRITUS.

ESTE FUE UNO DE LOS PROYECTOS FAVORITOS DE FIDEL CASTRO. BANAO TENÍA UN MICRO-CLIMA CON SUPUESTAS CONDICIONES ÚNICAS QUE PERMITÍAN EL CULTIVO DE COSECHAS NORMALMENTE POSIBLES SOLO EN CLIMAS DEL NORTE, COMO MANZANAS, DURAZNOS, FRESAS Y ESPÁRRAGOS.

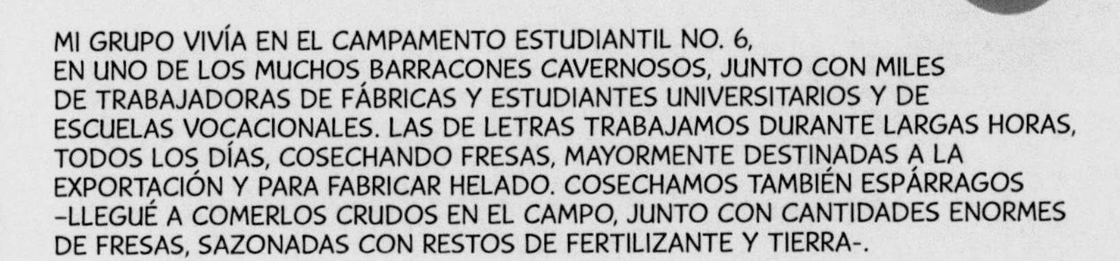
MI GRUPO VIVÍA EN EL CAMPAMENTO ESTUDIANTIL NO. 6,
EN UNO DE LOS MUCHOS BARRACONES CAVERNOSOS, JUNTO CON MILES
DE TRABAJADORAS DE FÁBRICAS Y ESTUDIANTES UNIVERSITARIOS Y DE
ESCUELAS VOCACIONALES. LAS DE LETRAS TRABAJAMOS DURANTE LARGAS HORAS,
TODOS LOS DÍAS, COSECHANDO FRESAS, MAYORMENTE DESTINADAS A LA
EXPORTACIÓN Y PARA FABRICAR HELADO. COSECHAMOS TAMBIÉN ESPÁRRAGOS
–LLEGUÉ A COMERLOS CRUDOS EN EL CAMPO, JUNTO CON CANTIDADES ENORMES
DE FRESAS, SAZONADAS CON RESTOS DE FERTILIZANTE Y TIERRA–.

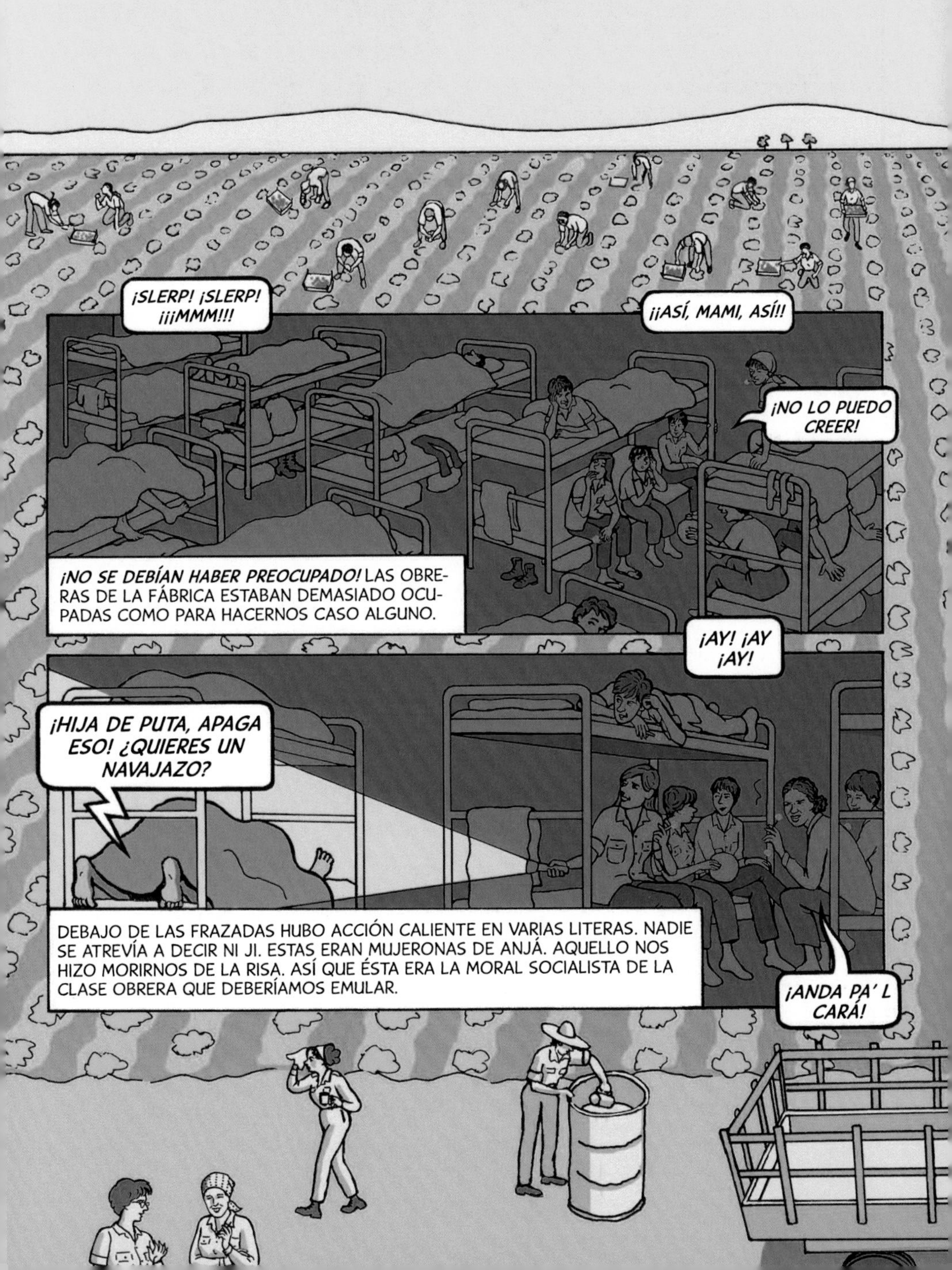
¡SLERP! ¡SLERP! ¡¡¡MMM!!!
¡¡ASÍ, MAMI, ASÍ!!
¡NO LO PUEDO CREER!
¡NO SE DEBÍAN HABER PREOCUPADO! LAS OBRERAS DE LA FÁBRICA ESTABAN DEMASIADO OCUPADAS COMO PARA HACERNOS CASO ALGUNO.
¡AY! ¡AY ¡AY!
¡HIJA DE PUTA, APAGA ESO! ¿QUIERES UN NAVAJAZO?
DEBAJO DE LAS FRAZADAS HUBO ACCIÓN CALIENTE EN VARIAS LITERAS. NADIE SE ATREVÍA A DECIR NI JI. ESTAS ERAN MUJERONAS DE ANJÁ. AQUELLO NOS HIZO MORIRNOS DE LA RISA. ASÍ QUE ÉSTA ERA LA MORAL SOCIALISTA DE LA CLASE OBRERA QUE DEBERÍAMOS EMULAR.
¡ANDA PA' L CARÁ!

NIKKI Y LA CALLE 8

MI HERMANA NIKKI SE SENTÍA VISTA EN SU ESCUELA COMO UN SER DE OTRO PLANETA. NO TUVO AMISTAD ALGUNA DESDE EL PRIMER AÑO HASTA EL QUINTO INCLUSIVE. TÍMIDA Y RESERVADA, NO PODÍA CON LA EXUBERANCIA Y EL CAOS CUBANOS. NUESTRO HERMANO KEVIN, EN CAMBIO, SUPO APROVECHARSE.
AL FIN ENCONTRÓ UNA AMIGA, UNA NIÑA DE ISLANDIA, DE SU MISMA EDAD, EN LA PISCINA DEL HOTEL SIERRA MAESTRA, POR EL '66 O '67.
¿A QUÉ ESCUELA TÚ VAS?
A LA *HILLSIDE SCHOOL* DE MISS POWERS.
ELIN ERA LA HIJA DE UN OCEANÓGRAFO FÍSICO DE LAS NACIONES UNIDAS ESTACIONADO EN CUBA CON SU FAMILIA. VIVÍAN CERCA, EN UN EDIFICIO DE APARTAMENTOS EN LA ORILLA DEL RÍO ALMENDARES.
¿HABLAN INGLÉS EN LA ESCUELA *HILLSIDE*?
¡AH, SÍ!
ODIO MI ESCUELA. LAS CLASES SON ABURRIDAS Y LA GENTE GROSERA Y MAL HABLADA.
¿POR QUÉ NO PIDES A TUS PADRES QUE TE TRASLADEN A *HILLSIDE*?

UN DÍA, UNOS VECINOS DE NUESTRO EDIFICIO, LOS BARUCH, SE FUERON DE CUBA Y ABANDONARON SU GATO EN EL JARDÍN. DESESPERADO Y MUERTO DE HAMBRE, SE APARECÍA EN LA PUERTA DE LA COCINA NUESTRA, DÍA TRAS DÍA.

¡MIERDA, ALLÍ ESTÁ ESE GATO HORRIBLE!
¡EL POBRE TIENE HAMBRE! ¡DÉJAME DARLE ALGO!
¡DE ESO NADA! ¡NO VOY A ALIMENTAR A DOS! CON UNO BASTA.
¡FUERA! ¡RAUS!

ESO ME GUSTARÍA MÁS QUE NADA.
PERO MIS PADRES NO ME VAN A DEJAR...
LOS ALUMNOS DE *HILLSIDE*, LA ÚNICA ESCUELA PRIVADA EN LA HABANA POR ENTONCES, ERAN HIJOS DE DIPLOMÁTICOS Y TÉCNICOS EMPLEADOS POR ORGANIZACIONES INTERNACIONALES. FUE FUNDADA EN 1965 POR MISS POWERS, UNA EXPATRIADA BRITÁNICA QUE VIVÍA EN CUBA DESDE LOS '50.

NIKKI HABÍA OBTENIDO NOTAS EXCELENTES EN SU ESCUELA CUBANA, PERO SE PRECIPITABA HACIA UNA QUIEBRA MENTAL. IMPLORÓ A LENORE DURANTE MESES.

¡ME TIENES QUE DEJAR IR A HILLSIDE! ¡POR FAVOR!
TU PAPÁ NO VA A GASTAR SU DINERO EN UNA ESCUELA PRIVADA CUANDO HAY ESCUELAS CUBANAS MARAVILLOSAS...
¿¡ESTÁS LOCA!? ¿LA ESCUELA DE LOS DIPLOMÁTICOS? ¿DONDE ESOS FASCISTAS ENVÍAN A SU CRÍA?
¡TEDDY, LA NIÑA ESTÁ DESCONSOLADA!

JOSÉ, TOME ESTOS DIEZ PESOS. LÍBRENOS DEL GATO. YA SABE QUÉ HACER.
¡¡FUÁCATA!!

MIENTRAS YO TRABAJABA EN BANAO, A MARTUGENIA LA ENVIARON A LA CIUDAD DE GUANTÁNAMO COMO PARTE DE UN EQUIPO DE "TRABAJO SOCIAL".

DESPUÉS DE RETORNAR AMBAS A LA HABANA, PERSUADÍ A MARTUGENIA DE IR CONMIGO A LA PLAYA DE SANTA MARÍA DEL MAR. COMO NO TENÍAMOS PLATA PARA UNA CABAÑA, FUIMOS SOLO ESE DÍA.

ESCOGIMOS UN LUGAR CERCANO A UN HOTEL QUE PERMITÍA ALMORZAR EN SU RESTAURANTE SIN SER HUÉSPEDES, ALGO POCO USUAL.

LO PASAMOS TAN BIEN QUE SE NOS FUERON LAS HORAS SIN DARNOS CUENTA.

¡GRINGA, SON LAS DOCE DE LA NOCHE Y YA SE FUE LA ÚLTIMA GUAGUA PARA LA HABANA!
BUENO, NO NOS PODEMOS QUEDAR AQUÍ. A COGER CARRETERA.
LAMENTO DECÍRTELO, PERO A PIE NO LLEGAREMOS A CASA MÁS NUNCA.

QUIZÁS NOS PODAMOS QUEDAR EN ALAMAR. POR AQUÍ DEBE ESTAR.
¿A QUIÉN CONOZCO ALLÍ?
¡YA SÉ! NORMA Y SU FAMILIA VIVEN EN ALAMAR!
AMBAS ESTÁBAMOS ALEJADAS DE NUESTROS COMPROMISOS Y NOS SENTIMOS LOCAMENTE LIBRES AQUÍ EN LA CARRETERA.
¡MIRA! ¿VES EL RESPLANDOR EN EL HORIZONTE? ESA ES LA HABANA.
ALAMAR ESTÁ ALLÍ MISMO.
ALLÁ HAY UNA COLONIA DE TÉCNICOS EXTRANJEROS. NORMA ES DE ARGENTINA.
NADIE DE LA ESCUELA NOS VERÁ.
¡SEÑORA SMIRCIC! ¡SOY YO, MARTUGENIA! DISCULPE LA MOLESTIA. BUSCAMOS A NORMA. SE NOS FUE LA ÚLTIMA GUAGUA DESDE SANTA MARÍA Y PENSAMOS QUE...
¡AY, POBRECITAS! NORMA NO ESTÁ PERO PUEDEN DORMIR EN SU CUARTO. DISCULPEN, HAY SOLO UNA CAMA. ¡ENTREN!
AL DÍA SIGUIENTE SALIMOS DE LA CASA DE NORMA COMO PAREJA, DICHOSAMENTE IGNORANTES DE LA TORMENTA QUE SE AVECINABA. FUE UN VERANO FELIZ.
SANTA MARIA

LA CALLE ÁNIMAS

MARTUGENIA ERA UN FLAMANTE ESPÍRITU LIBRE, CON MENTE VELOZ Y UN SENTIDO DEL HUMOR BIEN RETORCIDO. COMO REVOLUCIONARIA Y AL SER UNA INSTRUCTORA JOVEN Y POPULAR EN EL DEPARTAMENTO DE INGLÉS, A VECES ESTO LE TRAÍA PROBLEMAS.

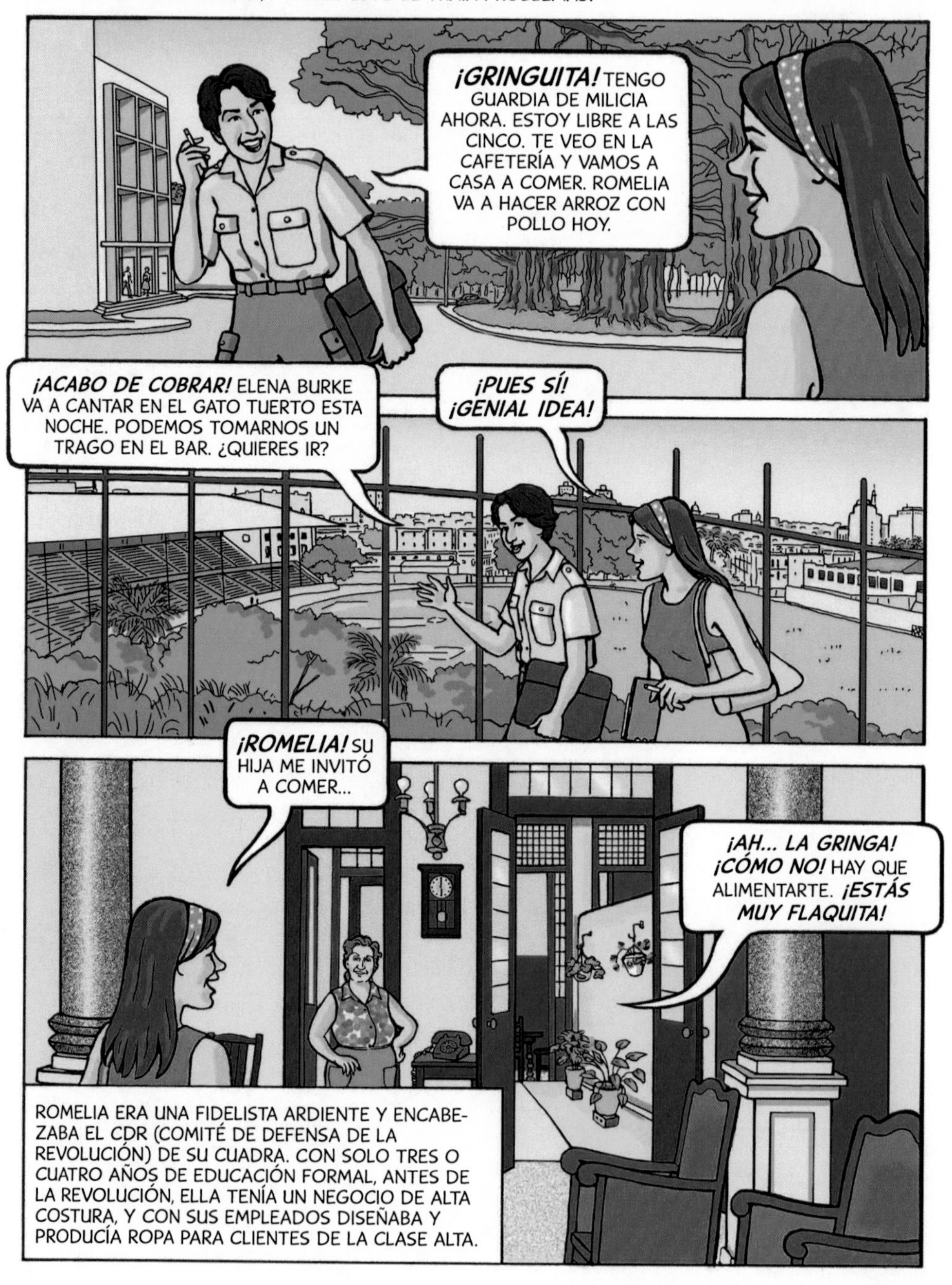

¡GRINGUITA! TENGO GUARDIA DE MILICIA AHORA. ESTOY LIBRE A LAS CINCO. TE VEO EN LA CAFETERÍA Y VAMOS A CASA A COMER. ROMELIA VA A HACER ARROZ CON POLLO HOY.
¡ACABO DE COBRAR! ELENA BURKE VA A CANTAR EN EL GATO TUERTO ESTA NOCHE. PODEMOS TOMARNOS UN TRAGO EN EL BAR. ¿QUIERES IR?
¡PUES SÍ! ¡GENIAL IDEA!
¡ROMELIA! SU HIJA ME INVITÓ A COMER...
¡AH... LA GRINGA! ¡CÓMO NO! HAY QUE ALIMENTARTE. ¡ESTÁS MUY FLAQUITA!
ROMELIA ERA UNA FIDELISTA ARDIENTE Y ENCABEZABA EL CDR (COMITÉ DE DEFENSA DE LA REVOLUCIÓN) DE SU CUADRA. CON SOLO TRES O CUATRO AÑOS DE EDUCACIÓN FORMAL, ANTES DE LA REVOLUCIÓN, ELLA TENÍA UN NEGOCIO DE ALTA COSTURA, Y CON SUS EMPLEADOS DISEÑABA Y PRODUCÍA ROPA PARA CLIENTES DE LA CLASE ALTA.

¡AY! ESTOY TAN CANSADA. ME CHIVARON MUCHO EN LA FÁBRICA HOY Y TODAVÍA TENGO QUE TERMINAR EL VESTIDO PARA LOS QUINCE DE MENGANITA.
ROMELIA Y PEDRO ALBERTO, EL PADRE DE MARTUGENIA, TENÍAN UN APARTAMENTO EN LA CALLE ÁNIMAS QUE SERVÍA DE CASA Y LUGAR PARA EL NEGOCIO DE ROMELIA. CUANDO TRIUNFÓ LA REVOLUCIÓN, ELLA VENDIÓ TODO SU EQUIPO EXCEPTO UNA MAQUINA DE COSER. CERRÓ EL NEGOCIO Y OFRECIÓ SUS TALENTOS AL NUEVO GOBIERNO.
PEDRO ALBERTO TRABAJABA COMO MAESTRO DE EDUCACIÓN FÍSICA EN LA BENEFICENCIA, EL ORFELINATO DE LA CIUDAD. EN CUANTO PUDO, SE HABÍA RETIRADO.
¡JA! CULPA TUYA POR TRABAJAR PARA ESOS CABRONES. ¡LADRONES QUE SON...!
ROMELIA AHORA ERA MODELISTA PARA UNA FÁBRICA ESTATAL DE VESTIDOS Y DESPUÉS DEL TRABAJO COSÍA PARA SU FAMILIA Y PARA LOS AMIGOS.
ESA GENTE QUE VIVE ENFRENTE... TIENEN ALGÚN NEGOCIO DE BOLSA NEGRA, YO LO SÉ.
COMO PRESIDENTA DEL COMITÉ, VIGILABA LA VIDA DE SUS VECINOS Y SE HIZO LA JEFA DE LA CUADRA. COMO MILICIANA, HIZO GUARDIA DURANTE LARGAS HORAS EN LA FÁBRICA.
¡COÑO, ROMELIA! DEJA A ESOS NEGRITOS TRANQUILOS. AL MENOS SE ESTÁN GANANDO LA VIDA.
¡AY, PEDRO ALBERTO! ¡NO QUIERO OÍR NADA DE TU GUSANERÍA!
SIEMPRE HABÍA GENTE EN LA CASA: VECINOS, PARIENTES, O "COMPAÑEROS" DE LA SECCIONAL DE LOS CDR.

NO ERAN MUY DIFERENTES DEL RESTO DE MIS AMISTADES. TODOS TENÍAN SU PADRE, MADRE, QUIZÁS HERMANOS Y ESE PADRE TENÍA UNA QUERIDA (O QUERIDO) APARTE.

ROMELIA SE PASABA HORAS HACIENDO COLA EN LA BODEGA Y LA CARNICERÍA ASIGNADAS. PARA TODOS, MENOS LOS POCOS PRIVILEGIADOS, LOS ABASTECIMIENTOS ESENCIALES ERAN RACIONADOS. ROMELIA TENÍA UNA RED DE VECINOS Y FAMILIARES PARA SABER CUÁNDO LLEGABAN VÍVERES. NUNCA HABÍA SUFICIENTE. LAS COMPRAS DISCRETAS EN EL MERCADO NEGRO COMPENSABAN ALGO.

CUANDO SALÍAMOS DE LA ESCUELA, BORDEÁBAMOS EL COMEDOR MACHADO, LUEGO DE UN CAFÉ, RODEÁBAMOS EL ESTADIO UNIVERSITARIO Y BAJÁBAMOS POR SAN RAFAEL O POR SAN MIGUEL, RUMBO A INFANTA.
POR EL CAMINO AÚN ABUNDABAN AQUELLAS BODEGAS DE LOS VIEJOS TIEMPOS CON SU BARRA CURVA DE MADERA. ALLÍ TOMÁBAMOS UNAS CERVEZAS Y OÍAMOS A ÑICO MEMBIELA O A VICENTICO VALDÉS Y OTROS, MIENTRAS DISCUTÍAMOS SOBRE EL EXISTENCIALISMO, O QUIZÁS EN VOZ BAJA, SOBRE LAS UMAP...
MIENTRAS TANTO, OCURRÍAN MUCHAS COSAS EN EL ÁMBITO DE LAS ARTES Y LA CULTURA. EL SALÓN DE MAYO EN EL PABELLÓN CUBA ATRAJO A LA CREMA Y NATA DE LA VANGUARDIA ARTÍSTICA AMERICANA Y EUROPEA DE AQUEL ENTONCES. CARLOS FRANQUI, EDITOR Y FUNDADOR DE REVOLUCIÓN, EL PERIÓDICO OFICIAL DESDE LA SIERRA MAESTRA (Y PRONTO EXPULSADO DEL PANTEÓN REVOLUCIONARIO), ORGANIZÓ ESTE EVENTO QUE SERÍA COMO UN DEDO EN EL OJO DEL REALISMO SOCIALISTA Y SUS ACÓLITOS EN CUBA.
SALON DE MAYO
PABELLON CUBA, LA HABANA, 30 DE JULIO DE 1967
Notas sobre el Arte en la Revolución
JEAN SCHUSTER
ORQUESTA CUBANA DE MUSICA
MODERNA

FIDEL PASA POR LA ESCUELA DE LETRAS

UN VIERNES EN AGOSTO DEL '67, A LOS DE LA ESCUELA DE LETRAS Y EL RESTO DE HUMANIDADES NOS MOVILIZARON PARA EL TRABAJO AGRÍCOLA EN ARIGUANABO, AL SUR DE LA HABANA. LOS CAMIONES SE DEMORABAN Y NOSOTROS LOS ESPERÁBAMOS ANTE LA ESCUELA, CUANDO DE PRONTO...

¡LAS PUERTAS ESTÁN CERRADAS!
¡A ROMPERLAS!
¿CÓMO TE LLAMAS? ¿DE DÓNDE ERES?
CONNIE, SOY AMERICANA. ESTUDIO AQUÍ EN LETRAS.
AH, HMMM. BUENO, DÉJAME CONTARTE LO QUE HARÁN. ¡ESTAMOS DESARROLLANDO UN MODO REVOLUCIONARIO DE SEMBRAR LA PIÑA! PRIMERO SE...
RECIBÍ UNA CLASE DE CINCO MINUTOS.

ENTONCES FIDEL SUBIÓ AL ESCENARIO JUNTO A RAMIRO VALDÉS, CARLOS AMAT, EL DECANO DE HUMANIDADES; CHOMY, EL RECTOR DE LA UNIVERSIDAD; Y NUESTRA DIRECTORA, VICENTINA ANTUÑA. FIDEL DIO UN DISCURSO ANIMADO SOBRE LAS VIRTUDES DEL TRABAJO AGRÍCOLA Y DE CÓMO SERÍAMOS MEJORES REVOLUCIONARIOS MEDIANTE NUESTROS ESFUERZOS PARA LA PATRIA. SIN MÁS, FIDEL Y SU SÉQUITO SE MARCHARON Y NOSOTROS SALIMOS PARA ARIGUANABO.

Precio: cinco centavos

La Habana, sábado 5 de

Despidió Fidel a los estudiantes universitarios que van al agro

Con motivo de iniciarse el plan de trabajo productivo de fin de semana por los estudiantes de las distintas escuelas de la Universidad de La Habana, el Primer Secretario del Comité Central de nuestro Partido y Primer Ministro del Gobierno Revolucionario, comandante Fidel Castro, se reunió con los alumnos de la Facultad de Humanidades momentos antes de partir éstos hacia la región de Ariguanabo. El compañero Fidel les explicó a los jóvenes los importantes planes de desarrollo agrícola de nuestro país y les exhortó a desempeñar un destacado rol en los mismos. En la foto de Arnaldo Santos se observan junto al Jefe de la Revolución al comandante Ramiro Valdés, miembro del Buró Político del Partido; el rector de la Universidad doctor José R. Miyar y a la directora de la Escuela de Letras, doctora Vicentina Antuña.

Capítulo 4

Morgan y el Malecón

MORGAN Y EL MALECÓN

UNA NOCHE A COMIENZOS DE SEPTIEMBRE DE 1967, MARTUGENIA Y YO DECIDIMOS IR AL CINE.

RIVIERA
HOY MORGAN
¡MIRA! VAMOS A VERLA!
¡AY, SÍ! LEÍ QUE ES DE LA CORRIENTE DE LOS ANGRY YOUNG MEN.
¡MORGAN!, UNA PELÍCULA BRITÁNICA DE KAREL REISZ, CONSIDERADA MORALMENTE SOSPECHOSA. NOS APRESURAMOS PARA VERLA ANTES DE QUE LA QUITARAN.
SE TRATABA DE DOS AMANTES DE CLASES INCOMPATIBLES, MORGAN, DE LA CLASE OBRERA, Y SU MUJER LEONIE, DE LA CLASE ALTA. ELLA LO ABANDONA POR OTRO MÁS APROPIADO. MORGAN SE VUELVE LOCO Y HACE COSAS DISPARATADAS, COMO PONERSE UN TRAJE DE GORILA EN LA BODA DE ELLA Y ATERRORIZAR A LOS INVITADOS.
AL FINAL, LA REBELDÍA Y EL ANARQUISMO RESULTAN VENCIDOS. MORGAN TERMINA EN UN MANICOMIO, DONDE SE RINDE A LAS CORRECCIONES IDEOLÓGICAS DE SU MADRE ESTALINISTA.
¡UFF! NECESITO AIRE FRESCO DESPUÉS DE ESO. VAMOS A CASA CAMINANDO POR EL MALECÓN.
CUANDO ECHAMOS A ANDAR DURANTE LA MEDIANOCHE, NOS SENTÍAMOS UN POCO COMO GORILAS LOCOS Y NOS OLVIDAMOS DE LA NECESIDAD DE SER MÁS CAUTELOSAS.

MMM... QUÉ LUNA MÁS LINDA...
¡OYE! ¡MAMI RICA!
¡EH! ¡SUBAN AL CARRO A GOZAR CON NOSOTROS!
¡UFF!!! ¡PIÉRDANSE!
MEJOR, VAMOS ECHANDO...
¡CHICO! ¡MIRA ESO! ¡SON UN PAR DE TORTILLERAS COCHINAS!
¡VAMOS A ENTRARLES A PIÑAZOS!
¡TORTILLERAS DE MIERDA!

¡CUIDADO, BABY!

¿BABY!? ¿OÍSTE ESO? LA TORTA DIJO "BABY!" LE VOY A ROMPER EL CRÁNEO!

¡NO! ¡NO!

¡PUERCAS!
¡NO LA TOQUEN!

¡¿AH, SÍ, REPUTA?! ¡AHORA TE TOCA A TI!
¡VÁMONOS! ¡VÁMONOS DE AQUÍ!
¡MONTA EN EL CARRO, MUCHACHO! ¡ESTO SE ACABÓ!
¡AY, DIOS, MENOS MAL QUE SE FUERON! QUÉ ALIVIO QUE NADIE VIERA NADA.
¡RÁPIDO! TENEMOS QUE VOLVER A LA CALLE 23 Y SEPARARNOS. SI NOS VEN JUNTAS, ESTAMOS JODIDAS.
CRUZAMOS EL MALECÓN Y EN SILENCIO TOMAMOS UNA CALLE LATERAL.

¡ALTO! ¡SOMOS LA POLICÍA! VIMOS EL ATAQUE. SUBAN, POR FAVOR. LAS LLEVAMOS PARA QUE IDENTIFIQUEN A ESOS INDIVIDUOS...
¿¡¡CÓMO DEMONIOS LO SABÍAN..!!?
DETUVIMOS A LOS DOS HOMBRES.
POR CIERTO... ELLOS LAS ACUSAN DE COMETER ACTOS SEXUALES EN EL MALECÓN, Y DIJERON QUE LES DIO TANTO ASCO QUE SALIERON DEL CARRO PARA PARARLAS... ¿QUÉ DICEN DE ESO?
¡ESTÁN LOCOS! ¿QUIÉN HARÍA ESO? ¿POR QUÉ NOSOTRAS?
¡DIOS, ES UNA TRAMPA!
¡SON UNOS SUCIOS MENTIROSOS, TRATAN DE JUSTIFICAR LO QUE ACABAN DE HACERNOS!

¡¿CUÁNDO NOS VAMOS DE AQUÍ?!
¡PUEDO PERDER EL TRABAJO...!
ESPERAMOS UNA ETERNIDAD EN LA ESTACIÓN DE POLICÍA, CON LOS ASALTANTES EN EL OTRO EXTREMO DE LA SALA. EN NINGÚN MOMENTO LES DIRIGIMOS LA PALABRA.
¿QUÉ TIENES QUE DECLARAR, CIUDADANO?
¡ESAS TORTILLERAS SE ESTABAN TOQUETEANDO Y BESUQUEÁNDOSE EN EL MALECÓN! ¡FUE HORRIBLE!
¿...Y TU DECLARACIÓN?
¡ESOS CRIMINALES NOS ATACARON Y NOS GOLPEARON! ¡NOSOTRAS NO HEMOS HECHO NADA!
DE PRONTO ÉRAMOS LAS ACUSADAS Y LOS ATACANTES LOS ACUSADORES. COMO ESTABAN LAS COSAS EN LA UNIVERSIDAD, ERA EVIDENTE CUÁL SERÍA VISTO COMO EL DELITO PEOR.
LLÉVENLOS TODOS AL FAJARDO PARA SER EXAMINADOS, Y ME TRAEN EL INFORME PARA EL EXPEDIENTE.
¡PERO, COMPAÑERO! ¡POR FAVOR! ¿CUÁNDO PODREMOS IRNOS?
CUANDO EL PROCESO SE HAYA CONCLUIDO. LLEVÉNSELAS.
NOS LLEVARON A LOS CUATRO A LA SALA DE EMERGENCIAS EN DOS CARROS CIVILES.

FINALMENTE NOS SOLTARON Y NOS INFORMARON QUE NOS CITARÍAN PARA COMPARECENCIAS FUTURAS. CONCIENTES DE QUE ESTO OCURRÍA DURANTE LAS DEPURACIONES, ATERRADAS DE SER EXPULSADAS, MÁS LA POSIBLE PERDIDA DEL EMPLEO DE MARTUGENIA COMO INSTRUCTORA, DECIDIMOS NO DECIR UNA PALABRA EN LA ESCUELA; QUIZÁS NADIE SE ENTERASE.

¡CONNIE! ¡YA ESTÁ LA COMIDA! ¡PON LA MESA, POR FAVOR!
TE LLAMARON HOY —FUE DE LO MÁS EXTRAÑO—, ALGO SOBRE UNA REUNIÓN CON EL DECANO. DEBES LLAMAR A SU OFICINA.
UNA SEMANA MÁS TARDE, NOS CITARON A COMPARECER ANTE LAS AUTORIDADES DE LA UNIVERSIDAD Y ENCARAR LAS ACUSACIONES QUE SE NOS HACÍAN.

AFORTUNADAMENTE, A MI FAMILIA NO LE INTERESABA MI VIDA UNIVERSITARIA, NI TAMPOCO MI VIDA PERSONAL. SE QUEDARON FELIZMENTE IGNORANTES DURANTE LA MAYOR PARTE DEL ESCÁNDALO.

LAS DOS EMPEZAMOS A RECIBIR CITACIONES PARA COMPARECER EN UN JUICIO REGIDO POR EL SISTEMA LEGAL DE LA CIUDAD Y A OTRO EN LA UNIVERSIDAD. VIVIMOS ESTA PESADILLA DURANTE CASI TODO EL AÑO SIGUIENTE... MARTUGENIA ENCONTRÓ REFUGIO EN CENTRO HABANA,, A POCAS CUADRAS DE SU CASA EN LA CALLE ÁNIMAS, EN EL APARTAMENTO DE UNA TÍA. SU MADRE AL FIN LA RESCATÓ Y LA LLEVÓ PARA SU CASA. YO NO ME MOVÍ DEL APARTAMENTO DE MI FAMILIA EN MIRAMAR.

RÁPIDAMENTE CORRIÓ LA VOZ EN LA ESCUELA. EL CASO FUE CHISME CALIENTE EN EL EDIFICIO DE LETRAS, PERIODISMO Y CIENCIA BIBLIOTECARIA.

PASE LO QUE PASE, NO TE DEJES ENGAÑAR PARA QUE CONFIESES. NO ADMITAS NADA DE ESA MIERDA. NO LES CREAS SI TE DICEN QUE HE CONFESADO. ¡JAMÁS!
NO TE PREOCUPES. JAMÁS ADMITIRÉ NADA. ¿QUIÉN SERÍA TAN TONTA?
EL DÍA DE NUESTRO JUICIO EN LA UNIVERSIDAD, CONVERSAMOS Y DECIDIMOS QUE, CON SU EMPLEO EN PELIGRO, MARTUGENIA ERA LA MÁS VULNERABLE. YO ERA ESTUDIANTE PERO TAMBIÉN HIJA DE UN PROFESOR EXTRANJERO, LO QUE ME DABA CIERTA PROTECCIÓN.

ENTRÉ AL AULA PARA EL INTERROGATORIO EN EL EDIFICIO DE CIENCIAS JURÍDICAS. MI CABEZA ARDÍA CON MIEDO Y VERGÜENZA.
NUESTRO DECANO, CARLOS AMAT, ACTUÓ DE FISCAL Y JUEZ EN EL JUICIO UNIVERSITARIO. EL PANEL DEL CONSEJO INCLUYÓ A NUESTRA DIRECTORA, VICENTINA ANTUÑA; LA REPRESENTANTE ESTUDIANTIL, MARTINA, Y UN JOVEN REPTIL, CUYO NOMBRE SE ME ESCAPA AHORA, EL REPRESENTANTE DE LA UJC —UNIÓN DE JÓVENES COMUNISTAS, LA "VANGUARDIA DE LA JUVENTUD CUBANA."
TOMA ASIENTO, POR FAVOR, CONNIE.

ANTES DE SU POSICIÓN DE DECANO, AMAT HABÍA SIDO UNO DE LOS FISCALES MÁS PODEROSOS DE CUBA EN LOS PRIMEROS AÑOS DE LOS '60. FUE EL FISCAL PRINCIPAL EN LOS "JUICIOS SUMARIOS DE GUERRA" DE SUPUESTOS CONTRARREVOLUCIONARIOS Y A MUCHOS LOS DESPACHÓ FRENTE A PELOTONES DE FUSILAMIENTO. AÑOS MÁS TARDE FUE FISCAL EN OTROS JUICIOS POLÍTICOS DE ALTO PERFIL.

DOS HOMBRES HAN DECLARADO QUE LAS VIERON, A TI Y A MARTUGENIA RODRÍGUEZ, COMETER DEPRAVADOS ACTOS HOMOSEXUALES EN EL MURO DEL MALECÓN.
¿ES CIERTO ESO?
ABSOLUTAMENTE NO. ES UNA MENTIRA ATROZ. NOS ASALTARON CUANDO NOS NEGAMOS A SOMETERNOS A SUS DEMANDAS.
BIEN... ENTONCES TENGO QUE PREGUNTARTE ALGO QUE VA AL GRANO. ¿ERES HOMOSEXUAL?
ESTA PREGUNTA LA SENTÍ COMO UN JAQUEMATE. SI LA NEGABA ROTUNDAMENTE, PERDERÍA TODA CREDIBILIDAD. YA TENÍA UNA REPUTACIÓN NEGRA EN LA ESCUELA, BAJO LA SOSPECHA DE SER LESBIANA. HABÍA QUE CONVENCERLO DE QUE MARTUGENIA Y YO NO HABÍAMOS HECHO NADA, Y DE QUE ELLA NO ERA HOMOSEXUAL. SI, PARA GANAR PUNTOS POR HONESTIDAD, ADMITÍA QUE YO LO ERA, NO LE DEJARÍA OTRA OPCIÓN QUE EXPULSARME. CONTEMPLÉ ESTE DILEMA DURANTE LO QUE ME PARECIÓ UNA ETERNIDAD. DESDE EL PANEL SOMBRÍO, ME MIRÓ CON FIJEZA. LA SOLUCIÓN ME VINO COMO UNA EPIFANÍA...
DR. AMAT, QUIERO SER COMPLETAMENTE HONESTA CON USTED...
Y LA RESPUESTA MÁS EXACTA Y VERDADERA QUE LE PUEDO DAR ES QUE YO *NO SÉ* REALMENTE SI SOY HOMOSEXUAL...
HMM... TE TENGO QUE HACER OTRA PREGUNTA ENTONCES. ¿HAS COMETIDO ALGUNA VEZ UN ACTO HOMOSEXUAL?

LA NOTICIA DEL JUICIO CORRIÓ RÁPIDAMENTE POR LA UNIVERSIDAD. TAMBIÉN SE SUPO QUE MÓNICA Y SU GRUPO HABLABAN DE ESCRIBIRLE A SARTRE, Y A OTROS PROMINENTES INTELECTUALES EUROPEOS, PARA DENUNCIAR LAS CACERÍAS DE BRUJAS HOMOFÓBICAS Y BUSCAR APOYO INTERNACIONAL PARA LOS CUBANOS ACUSADOS DE SER "LACRA SOCIAL".

UNAS SEMANAS MÁS TARDE, EL DECANO ME CITÓ DE NUEVO.

HEMOS DECIDIDO NO HACERTE UNA ACUSACIÓN, PERO QUEREMOS QUE TE RETIRES DE LA ESCUELA POR UN AÑO. CUANDO LAS COSAS SE HAYAN CALMADO, PODRÁS REGRESAR.
¡YO NO ACEPTO ESO! ¿POR QUÉ SE ME VA A CASTIGAR POR ALGO QUE NUNCA HICE?
¿*TÚ* NO ACEPTAS? HMMM... CREO QUE ESA ES MI DECISIÓN.
BIEN. AQUÍ TIENES UNA ALTERNATIVA. PODRÁS CONTINUAR EN LA UNIVERSIDAD BAJO UNA CONDICIÓN. TENDRÁS QUE SOMETERTE A UN TRATAMIENTO CON UN SIQUIATRA QUE NOSOTROS TE ASIGNAREMOS.
OK, SI ES ESO LO QUE TENGO QUE HACER. QUIERO TERMINAR Y GRADUARME.
COMIENZAS EL LUNES CON EL DR. ARMANDO DE CÓRDOBA A LAS TRES DE LA TARDE. AQUÍ ESTÁ LA DIRECCIÓN.

MI FURIA VENCIÓ A MI TERROR. NO LES IBA A PERMITIR QUE ME ECHARAN. SALDRÍA DE ESA MALDITA UNIVERSIDAD CUANDO ME GRADUARA.

MARTUGENIA SOBREVIVIÓ SU ORDALÍA CON AMAT Y PUDO SALVAR SU EMPLEO. NOS VEÍAMOS FURTIVAMENTE, LEJOS DE LA ESCUELA, LEJOS DE NUESTRAS CASAS, SIEMPRE CON EL MIEDO DE TROPEZAR CON ALGUIEN DE LA UNIVERSIDAD.
TÚ SABES, ESTO SE TRATA DE LOS ENEMIGOS DE LETRAS, CONFABULADOS PARA APODERARSE DE LA ESCUELA. NOSOTRAS SOMOS SIMPLES PEONES. ES QUE VICENTINA TIENE DEMASIADO PRESTIGIO...

ME PRESENTÉ A LA PRIMERA DE MUCHAS CITAS EN EL HOSPITAL COMANDANTE MANUEL FAJARDO Y TOQUÉ EN LA PUERTA DEL DR. CÓRDOBA.

SIÉNTATE, POR FAVOR.
PASARON HORAS DE ESPERA.
AHORA CUÉNTAME DE QUÉ SE TRATA ESTO...
¿TE SIENTES PREDOMINANTE-MENTE ATRAÍDA POR MUJERES?
NO, NO LO CREO. PERO TENÍA CURIOSIDAD.
HÁBLAME DE TU FAMILIA...

SUPUSE QUE LA META QUEDABA EN DETERMINAR SI YO ERA UNA DESVIADA INCORREGIBLE, O SI ERA SALVABLE, PARA APLACAR A LOS ENEMIGOS DE LETRAS. FUE UN ACOMODO HECHO PARA LOS LIBERALES Y CONSERVADORES EN LOS VARIADOS FEUDOS POLÍTICOS EN JUEGO: EL PARTIDO, LA UJC, EL CÍRCULO DE LA DIRECTORA DE LETRAS Y, POR SUPUESTO, SEGURIDAD DEL ESTADO...

TRAS CADA SESIÓN, YO ANOTABA CUIDADOSA-MENTE TODO LO DICHO PARA SER CONSISTENTE DURANTE LA SIGUIENTE SESIÓN.
HAY UN INTERESANTE MOVIMIENTO JUVENIL EN HOLANDA, LOS PROVOS. ¿HAS OÍDO DE ELLOS?
¿QUÉ...? ¿A DÓNDE VA ESTO?

DOS DÍAS DESPUÉS DEL DESASTRE, ANTES DE DESATARSE LA TORMENTA CON EL DECANO Y LA CORTE, VICENTINA ANTUÑA SACÓ A MARTUGENIA DE UNA CLASE Y LA LLEVÓ A SU OFICINA.

POR SUPUESTO, A CONTINUACIÓN PERDIÓ LA BECA, EN CUANTO LAS AUTORIDADES UNIVERSITARIAS SE ENTERARON DE QUE SE NOS ACUSABA DE SER UNAS "DESVIADAS ESCANDALOSAS".

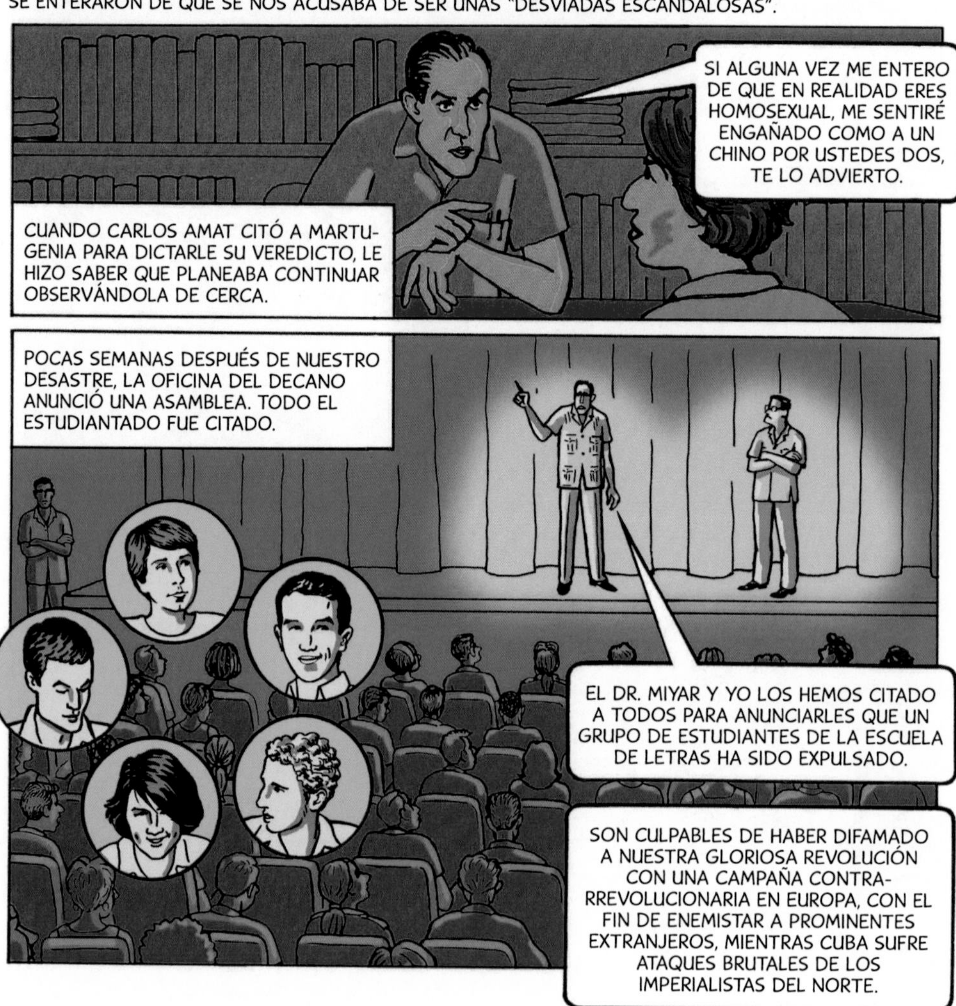

JUZGADO CORRECCIONAL DE LA OCTAVA SECCIÓN, ESQUINA DE LÍNEA Y LA CALLE M, VEDADO.
JUZGADO CORRECIONAL SECCIONAL 8ª
LLEGÓ LA HORA PARA LA PRIMERA DE LAS MUCHAS SESIONES DEL JUICIO PÚBLICO REGIDO POR EL SISTEMA LEGAL DE LA CIUDAD. CADA DÍA, DURANTE CASI UN AÑO, ESPERAMOS EL CORREO CON ANSIEDAD Y PAVOR. FUE UNA CADENA SIN FIN DE PESADILLAS BUROCRÁTCAS. POR FIN, LLEGÓ A CADA CASA UNA CITACIÓN. LAS DOS COMPARECIMOS, PERO NO ASÍ LOS ACUSADORES. EN LAS VISTAS SIGUIENTES APARECÍA SOLO UNO Y EL JUICIO SE POSTERGABA OTRA VEZ. A VECES SE NOS ORDENABA PRESENTAR O SOLICITAR UN DOCUMENTO U OTRO, REQUERIDOS POR QUIÉN SABE QUÉ ESTATUTO, Y SIN EL CUAL EL JUICIO NO PODÍA PROCEDER ESE DÍA... Y ASÍ EL JUICIO SE POSPONÍA, SEGUIDO DE NUEVAS CITACIONES...
¡JA! ¡JA! ¡JA!
¡MIRA! ¡VIENEN LAS TORTILLERAS! ¡MIRA, MIRA, QUÉ FORTALEZAS!
¡QUÉ FUERTES LAS COCHINAS ESAS! ¡TORTAS DE MIERDA!
BIEN... A USTEDES DOS SE LES ACUSA DE ACTOS DEPRAVADOS E INMORALES EN EL MALECÓN. ¿CÓMO SE DECLARAN?

HICE TODO LO POSIBLE POR RESCATAR DEL BUZÓN LAS CITACIONES PARA EL JUICIO PÚBLICO ANTES QUE MIS PADRES, PERO UN DÍA NO TUVE ÉXITO...
¡CONNIE! ¿¿Y ESTA COSA QUÉ ES??
¡CRISTO! ¡ME VOY A MORIR AHORA MISMO Y AQUÍ MISMÍSIMO!
UM... BUENO... ES UNA HISTORIA LARGA. FUI AL CINE UNA NOCHE...
¡QUATSCH! ¡QUÉ ABSURDO! ESTOY SEGURA DE QUE TODO SE ARREGLARÁ.
AH, PUES... EN LOS ESTADOS UNIDOS LA HOMOSEXUALIDAD ESTÁ MAL VISTA TAMBIÉN. RECUERDO QUE EN SWARTH-MORE HABÍA UN MAESTRO AL QUE DESPIDIERON... MUY DESAFORTUNADO...
PARA MI GRAN SORPRESA Y ALIVIO, TED Y LENORE NO SE MOSTRARON PREOCUPADOS. DESPUÉS DE ESTA CONVERSACIÓN IGNORARON EL ASUNTO POR COMPLETO.
AY, QUÉ DESAGRADABLE. BUENO, TIENES TODO NUESTRO APOYO, ¿NO ES CIERTO, TEDDY?
¡POR SUPUESTO! ¡ERES NUESTRA HIJA!
EN LA ESCUELA ERA OTRA COSA. TENÍA QUE PRESENTARME A LAS CLASES Y LOS EXÁMENES. YO SENTÍA LA PIEL DE MI CARA HERVIR E INFLAMARSE CADA VEZ QUE APARECÍA.

APRENDIMOS A RECONOCER LAS AMISTADES REALES Y A QUIENES TE ABANDONAN EN TIEMPOS DIFÍCILES. ALGUNOS DE LOS PROFESORES NO NOS VIRARON LA ESPALDA, NO NOS REHUÍAN, SINO QUE MANTUVIERON SUS SALUDOS AFECTUOSOS. PERO OTROS, JÓVENES EN ASCENSO, NOS EVITARON COMO LA PESTE.

GOYO, UN ESTUDIANTE DE MATEMÁTICAS Y AMIGO DE CONFIANZA, CRUZABA LA CIUDAD, Y A MANO, NOS ENTREGABA NOTAS Y CARTAS DE UNA A LA OTRA.

Capítulo 5

La Ofensiva Revolucionaria

1968, EL "AÑO DEL GUERRILLERO HEROICO", COMENZÓ CON EL CONGRESO CULTURAL DE LA HABANA (ENERO 4-12). LA MUERTE DE CHE GUEVARA EN BOLIVIA HACÍA POCOS MESES, EL 9 DE OCTUBRE, ECHÓ SOMBRA SOBRE TODO Y DETERMINÓ EL TONO PARA ESTE EVENTO CLAVE DONDE SE PRESENTARÍA LA LÍNEA POLÍTICA OFICIAL DE LA REVOLUCIÓN SOBRE LA CULTURA.
HUBO CERCA DE 500 PARTICIPANTES DESDE TODAS PARTES DEL MUNDO —ARTISTAS, ESCRITORES, TROTSKISTAS, COMUNISTAS, GUERRILLEROS Y BURÓCRATAS CULTURALES—, QUE SE CONGREGARON EN LA HABANA CON SUS CONTRAPARTIDAS CUBANAS.
PRINCIPALES ACTIVISTAS DE LA IZQUIERDA RADICAL MUNDIAL ACUDIERON PARA DEFINIR COMO CONFLICTO BÁSICO DEL PERÍODO LA LUCHA ENTRE EL IMPERIALISMO Y EL TERCER MUNDO, Y A DICTAR EL PAPEL QUE TODOS LOS INTELECTUALES ESTABAN MORALMENTE OBLIGADOS A JUGAR EN LA SOCIEDAD, PARTICULARMENTE EN ESTA SOCIEDAD REVOLUCIONARIA.
EL PRESIDENTE DORTICÓS CLAUSURÓ AL SEMINARIO PREPARATORIO DEL CONGRESO CON ESTAS PALABRAS:
CONGRESO CULTURAL DE LA HABANA
...ESTAMOS CREANDO TODOS UNA NUEVA SOCIEDAD, UNA SOCIEDAD COMUNISTA; QUE ESA ES LA GRAN OBRA DE CREACIÓN QUE HA DE PERMEAR EL SENTIDO DE VUESTRAS CREACIONES INDIVIDUALES. Y QUE CONSCIENTES DE ESTA VERDAD ES QUE, HONRANDO [...] LA MEMORIA [...] DE ESE GRAN INTELECTUAL REVOLUCIONARIO QUE FUE EL COMANDANTE ERNESTO CHE GUEVARA, PODEMOS HOY EXCLAMAR, CON SATISFACCIÓN REVOLUCIONARIA... ¡PATRIA O MUERTE! ¡VENCEREMOS!

LA MICROFRACCIÓN

EN CUANTO FUE CLAUSURADO EL CONGRESO CULTURAL Y SUS PARTICIPANTES REGRSARON A SUS PAÍSES DE ORIGEN, EL GOBIERNO ANUNCIÓ EL ARRESTO Y JUICIO DE LA LLAMADA "MICROFRACCIÓN": 34 VIEJOS COMUNISTAS AHORA SUPUESTOS TRAIDORES DE LA REVOLUCIÓN.

DURANTE UNA REUNIÓN DE TRES DÍAS DEL COMITÉ CENTRAL, RAÚL CASTRO LEYÓ LAS ACUSACIONES, EMPEZANDO CONTRA ANÍBAL ESCALANTE, UN LÍDER DEL VIEJO PARTIDO SOCIALISTA POPULAR (PSP), EL PARTIDO COMUNISTA DE CUBA FUNDADO EN 1925. ESCALANTE YA HABÍA SIDO EXILIADO A PRAGA EN 1962, EN UNA DE LAS PRIMERAS PURGAS ("LA LUCHA CONTRA EL SECTARISMO"), REGRESÓ EN 1964, DESTINADO A UN EMPLEO MENOR PROVINCIAL, PERO RÁPIDAMENTE SE VINCULÓ CON ANTIGUOS PARTIDARIOS Y ORGANIZÓ UNA SERIE DE REUNIONES CON COMUNISTAS DE LA VIEJA GUARDIA EN POSICIONES CLAVE, COMO EN LOS CDR, Y ESPECIALMENTE EN EL MOVIMIENTO OBRERO SINDICAL. MUCHOS DE ELLOS MANTENÍAN VÍNCULOS DIRECTOS CON LOS SOVIÉTICOS Y SU LEALTAD A MOSCÚ CUESTIONABA AHORA SU LEALTAD A FIDEL.

UNA PARTE DEL PSP ESTABA INSATISFECHA CON LA DIRECCIÓN TOMADA POR LA REVOLUCIÓN. VIERON CON ALARMA LA POSICIÓN QUE ELEVABA LOS INCENTIVOS MORALES POR ENCIMA DE LOS MATERIALES, LA EXALTACIÓN DEL TRABAJO VOLUNTARIO FRENTE AL DE LOS TRABAJADORES CALIFICADOS, Y EL PAPEL DE LA GUERRA DE GUERRILLA DURANTE EL PERÍODO DE LA DETENTE DE KHRUSCHEV.

ESCALANTE FUE ACUSADO DE HABERSE REUNIDO CON UN AGENTE DEL KGB, LO QUE DIO LUGAR A UNA INVESTIGACIÓN Y A LA CONSIGUIENTE PURGA. A ESCALANTE Y A DOCENAS DE OTROS VIEJOS CAMARADAS LOS SENTENCIARON A LARGOS AÑOS DE PRISIÓN.

UNA DE LAS CONSECUENCIAS DE ESTA TURBULENCIA POLÍTICA FUE QUE MUCHOS DE LOS EXTRANJEROS QUE TRABAJABAN EN CUBA CAYERON BAJO SOSPECHA. SE LES ESCUDRIÑABA CUALQUIER DESVIACIÓN FACCIONAL. TODOS LOS ADMIRADORES INCONDICIONALES DE MOSCÚ, DE PRONTO, SE ENCONTRARON QUE HABÍAN PERDIDO EL FAVOR OFICIAL, COMO MI FAMILIA SUPO RÁPIDAMENTE.

NO LO PUEDO CREER. *¡NO ME VAN A RENOVAR EL CONTRATO ESTE AÑO!* PERDÍ MI EMPLEO...
NOS HAN DADO HASTA EL FINAL DEL AÑO PARA IRNOS. LO ANTES POSIBLE...
¡OH, TEDDY! ¿QUÉ VAMOS A HACER? ¡EL APARTAMENTO, TU SALARIO! ¡TODO ES PARTE DE TU CONTRATO!
¡ES CULPA DE AQUELLOS IMBÉCILES SABELOTODO DEL DEPARTAMENTO DE FÍSICA!

TED, ATÓNITO, NUNCA ACEPTÓ QUE SU ESTRECHA VINCULACIÓN CON SUS QUERIDOS SOVIÉTICOS PODÍA HABER SIDO LA CAUSA. SE FUE DE CUBA CONVENCIDO DE QUE SIMPLEMENTE HABÍA PERDIDO UNA PUGNA EN EL DEPARTAMENTO AL QUE ÉL PERTENECÍA, ENFRENTADO A UNA FACCIÓN QUE PROMOVÍA UN CRITERIO MÁS FORMAL Y TRADICIONAL BASADO EN ESTUDIOS TEÓRICOS.

YO QUERÍA COMPRENDER Y DECIDÍ BUSCAR RESPUESTAS EN LA CASA DE MIRTA AGUIRRE.

DOCTORA, ¿CÓMO PUEDE SER CONTRARREVOLUCIONARIO AHORA HABLAR CON OFICIALES SOVIÉTICOS? A MI PADRE, QUE ES PRO-SOVIÉTICO, NO LE HAN RENOVADO EL CONTRATO. MI FAMILIA SE TIENE QUE IR...
AH... TE VOY A CONTAR UNA HISTORIA, CONNIE...
JOSÉ STALIN HIZO COSAS HORRIBLES, COMETIÓ MUCHOS ERRORES; PERO SOBRE TODO, SALVÓ AL MUNDO DE LA ALEMANIA NAZI. LOS AMERICANOS JUGARON UN PAPEL IMPORTANTE, PERO SIN STALIN Y LOS SOVIÉTICOS, LOS NAZIS HUBIERAN VENCIDO.
EN UN MOMENTO ESPECIALMENTE DIFÍCIL PARA LOS RUSOS DURANTE LA GUERRA, STALIN LLAMÓ A UN GENERAL AL QUE HABÍA ENCARCELADO TIEMPO ATRÁS. LE DIO LA ORDEN DE REGRESAR AL CAMPO DE BATALLA Y A DIRIGIR UNA CAMPAÑA IMPORTANTE PARA LA SALVACIÓN DE LA MADRE PATRIA Y LA UNIÓN SOVIÉTICA.
EL GENERAL OBEDECIÓ SIN REPARO. COMPRENDIÓ QUE LO QUE LE PASÓ A ÉL NO TENÍA IMPORTANCIA AL LADO DE LA NECESIDAD DE DERROTAR A HITLER.
AQUEL GENERAL FUE UN VERDADERO COMUNISTA. HAY QUE TENER CLARO LO QUE IMPORTA A LA LARGA.
TENEMOS QUE ASEGURAR QUE LO QUE PASÓ EN HUNGRÍA EN 1956 JAMÁS OCURRIRÁ AQUÍ. TIENE QUE HABER UNIDAD. NO PUEDE HABER FRACTURAS EN LA DIRIGENCIA REVOLUCIONARIA.
EL SOCIALISMO ES EL FUTURO. TIENE QUE SER PROTEGIDO COMO SEA.
VAMOS A TOMAR CAFÉ.
ESPÉRATE. VOY A TRAERLO. TENGO QUE BUSCAR MÁS CIGARROS.

DESPUÉS DE TANTEAR LA IDEA DE MUDARSE A TANZANIA, TED Y LENORE DECIDIERON QUE TED DEBÍA IRSE INMEDIATAMENTE A LOS ESTADOS UNIDOS Y BUSCAR TRABAJO. EL RESTO DE LA FAMILIA ESPERARÍA EN LA HABANA PARA VOLVER A REUNIRSE CUANDO ÉL HUBIESE ENCONTRADO CASA Y EMPLEO Y PUDIERA MANTENERLES A TODOS. APENAS TENÍAN AHORROS.

TED VA A BUSCAR TRABAJO EN CALIFORNIA. NO SÉ QUÉ HAREMOS CON TUS ESTUDIOS. ¿QUIZÁS MANDARTE MÁS TARDE PARA INGLATERRA O ALEMANIA?

NO ME VOY CON USTEDES. AQUÍ TENGO AMISTADES. ESTOY ESTUDIANDO. QUIERO GRADUARME. TENGO 23 AÑOS. YO ME LAS ARREGLO.

LENORE SE HORRORIZÓ AL PRINCIPIO, PERO ACEPTÓ QUE AHORA YO ERA UNA CARGA, Y TENÍA DERECHO A TOMAR DECISIONES. SE ENCARGÓ ENTONCES DE ENCONTRARME UN LUGAR PARA VIVIR Y ME ABRIÓ UNA CUENTA EN DÓLARES EN UN BANCO PARA EXTRANJEROS.

MARTUGENIA Y YO ENCONTRAMOS FORMAS DE VERNOS DISCRETAMENTE. UNIMOS FUERZAS CON GOYO Y SU NOVIO. SALÍAMOS COMO DOS PAREJAS HETEROSEXUALES. ESTO FUNCIONÓ INCLUSO CON LAS FAMILIAS.

EN LA ESCUELA PROCURAMOS NUNCA ESTAR LAS DOS EN EL MISMO LUGAR Y NOS REUNÍAMOS CON NUESTRAS AMISTADES POR SEPARADO. JUNTAS TODAVÍA ÉRAMOS RADIOACTIVAS.

MAS REVOLUCION — MAS REVOLUCION — MAS REVOLUCION — MAS REVOLUCI

En paz descansen cabarets, cabaretuchos y similares

LA OFENSIVA REVOLUCIONARIA

EL 13 DE MARZO DE 1968, FIDEL CASTRO DESATÓ UNA DE SUS CAMPAÑAS MÁS RADICALES PARA CAMBIAR LA SOCIEDAD CUBANA Y SU ECONOMÍA, LA OFENSIVA REVOLUCIONARIA. ARRASÓ CON LA VIDA NOCTURNA DE LA HABANA Y, DE UN DÍA PARA OTRO, NACIONALIZÓ CERCA DE 60,000 NEGOCIOS PEQUEÑOS Y MEDIANOS. PERO COMO EL ESTADO ERA INCAPAZ DE REEMPLAZAR O MANTENER LOS SERVICIOS INTERVENIDOS PRECIPITADAMENTE, DESAPARECIERON LOS ZAPATEROS, LOS MECÁNICOS, LAS PELUQUERÍAS, LOS LIMPIABOTAS, RELOJERÍAS, TINTORERÍAS, PUESTOS DE FRITAS, Y TODO EL RESTO DE LA TEXTURA DIARIA DEL COMERCIO DE BARRIO. LA PRENSA OFICIAL –LA ÚNICA– DIO A CONOCER UNA SERIE DE LEYES NUEVAS —VIGENTES DE INMEDIATO—, QUE CLAUSURABAN TODOS LOS BARES, CABARETS, Y CLUBES. COMER EN UN RESTAURANTE ESTATAL IMPLICABA ESPERAR EN COLAS QUE DURABAN HORAS.

La noticia corrió como reguerro de pólvora. Los más disímiles comentarios se suscitaron. Algunos se resistían a creerlo. Otros se aferraban a concepciones caducas.

No comprendían qu[…] volución es eso. Una […] ción renovadora. Qu[…] con todos los vestigio[…] sado. Que rompe de […] violenta las ataduras […] cales capitalistas para […] con fe y esperanza el […] so futuro. O es que […] puede formar el hom[…] munista del mañana […] ciar de sus neuronas […] men negativo, fruto […] penetración orientada […] ner la tesis de que el […] es malo por naturale[…] por herencia y ego[…] principios.

—o0O0o—

Pues sí señores, ¡Q[…] rece! Se acabaron […] rets y cabaretuchos. […] res y los barsuchos […] lo iba a decir a Chic[…] mismo. Que no hab[…] nera, ni cueva, ni e[…] ni matadero, ni gruta[…] ni clubcito, ni barra, […] ta, ni trampa, ni ant[…] no conociera hasta el último rincón. Que no tenía dificultad en conseguir mesa —inclusive los fines de semana— porque era amigo de todo el mundo. Que sabía en qué lugares a determinadas horas la asistencia era escasa y daba gordas propinas para que el cantinero le cargara el trago, se fuera y no regresara en largo rato. Que dominaba como el minero más experimentado los lugares más oscuros. Donde se pudiera hacer de todo. Que se aprendía de memoria las letras y los números de las victrolas automáticas de música "propia de ocasión".

[…] costeable la existencia de los mismos. La calidad artística y el mensaje cultural dejaba mucho que desear. El público se había acostumbrado a asistir a esos lugares no para presenciar un espectáculo de calidad, educativo y recreativo sino con un propósito radicalmente distinto. El artista se esforzaba en brindar lo mejor de su trabajo, el fruto de su esfuerzo y en la mayoría de los casos se le despreciaba no atendiéndolo, usándolo simplemente como un medio para obtener un fin previsto y calculado.

—o0O0o—

[…]

En honor a la estricta verdad es correcto señalar que en muchos casos se celebraban natalicios y cumpleaños de casados, con un carácter bien definido en algunos de estos lugares. Esto es cierto. Nadie está en contra de esas manifestaciones sociales propias de seres humanos. Pero lo que nadie puede poner en tela de juicio es que el uso y abuso de un club o cabaret para conquistar una mujer es un método impropio para una juventud enfrascada en la búsqueda de nuevas concepciones en el hombre. Y lo que nadie […] dejar de reconocer es […]sa fórmula proviene de […]uro, obsoleto y decaden[…]gen. El amor y las rela[…] entre un hombre y una […] no pueden, ni deben es[…]ndenadas a leyes capi[…]s.

—o0O0o—

[…]cho estaba desesperado. […] en sus manos el suple[…] especial del "Alma Ma[…] Este mismo que usted […]eyendo y se encontró lo […]nte:

[…] que encontrar nuevas […]s de diversión. Desarro[…] actividades culturales. […] populares en lugares […]ados; círculos, locales […]s. A través del deporte […] medio sano de entrete[…]nto. Paseos en bicicle[…]otos, campings, viajes a […]ayas. Excursiones, visi[…]museos, teatros, parques, […]es, jardines botánico y […]ico, cines, etc. etc. etc.

[…]vas concepciones surgi[…] Premisas y prejuicios tendrán que desaparecer. El largo y metódico proceso de la conquista cabaretera pasará a la historia. Todo tendrá que ser directo. Sin complejos, ni deseos explotados. Hay que orientarse por verdaderos caminos. Hay que sanear el ambiente. Pero sin celibato ni puritanismo. Entiéndase bien. Esto último para los extremistas.

En paz descansen cabarets, cabaretuchos y similares

MAS REVOLUCION — MAS REVOLUCION — MAS REVOLUCION — MAS REVOLUCION — MAS REVOLUCION

EN PAZ DESCANSEN CABARETS, CABARETUCHOS Y SIMILARES
HAY QUE ENCONTRAR NUEVAS FORMAS DE DIVERSIÓN. DESARROLLAR ACTIVIDADES CULTURALES. BAILES POPULARES EN LUGARES ADECUADOS; CÍRCULOS, LOCALES SOCIALES. A TRAVÉS DEL DEPORTE COMO MEDIO SANO DE ENTRETENIMIENTO. PASEOS EN BICICLETAS, MOTOS, CAMPINGS, VIAJES A LAS PLAYAS. EXCURSIONES, VISITAS A MUSEOS, TEATROS, PARQUES, BOSQUES, JARDINES BOTÁNICO Y ZOOLÓGICO, CINES, ETC. ETC. ETC.
NUEVAS CONCEPCIONES SURGIRÁN. PREMISAS Y PREJUICIOS TENDRÁN QUE DESAPARECER. EL LARGO Y METÓDICO PROCESO DE LA CONQUISTA CABARETERA PASARÁ A LA HISTORIA. TODO TENDRÁ QUE SER DIRECTO. SIN COMPLEJOS, NI DESEOS EXPLOTADOS. HAY QUE ORIENTARSE POR VERDADEROS CAMINOS. HAY QUE SANEAR EL AMBIENTE. PERO SIN CELIBATO NI PURITANISMO. ENTIÉNDASE BIEN. ESTO ÚLTIMO PARA LOS EXTREMISTAS.
¡SU MADRE! ¿¡HAS VISTO ESTO!?
SER COMO EL CHE ... NOS PROPONEMOS:
PROFUNDIZAR AL MÁXIMO NUESTRA FORMACIÓN IDEOLÓGICA COMBINANDO EL ESTUDIO CON EL TRABAJO Y LA PREPARACIÓN MILITAR.
ESTUDIAR CON UN MAYOR ESPÍRITU INVESTIGATIVO, DESTERRANDO TOTALMENTE LOS MALOS HÁBITOS ESTUDIANTILES, EL INTELECTUALISMO Y LA AUTOSUFICIENCIA.
MARCHAR A NUESTROS CAMPOS PARA TRABAJARLOS Y ARRANCAR DE ELLOS LOS FRUTOS QUE NOS PERMITIRÁN FORTALECER NUESTRA REVOLUCIÓN.
OK, VAMOS A COGER LA GUAGUA. MARTUGENIA DIJO QUE NOS VEMOS EN MI CASA.

DE PRONTO ERA UN PECADO IR A LA BODEGA DE LA ESQUINA A TOMARSE UNA CERVEZA EN LA BARRA, DONDE TODOS LOS HOMBRES DEL BARRIO SE VEÍAN, DONDE LAS MUJERES COMPRABAN LOS VÍVERES DEL DÍA, Y CUANDO HABÍA, SU FLAUTA DE PAN.

DICEN QUE HUBO OPOSICIÓN A LA OFENSIVA CUANDO FIDEL ANUNCIÓ EL PLAN, Y QUE CARLOS RAFAEL RODRÍGUEZ FUE EL PRIMERO EN OPONERSE.
...Y DESPUÉS DE UNA DISCUSIÓN, FIDEL SE ENFADÓ, DIO UN PUÑETAZO EN LA MESA Y EXCLAMÓ 'POR MIS COJONES SE VA A INTERVENIR TAL Y COMO YO DIJE'.

NUESTRO NUEVO REFUGIO ERA LA CASA DE GOYO EN SANTA FE, UN PUEBLO PEQUEÑO AL OESTE DE LA HABANA, DONDE ÉL VIVÍA CON SU MADRE ARACELIS. TENÍAN UNA ENORME MATA DE AGUACATES Y DOS DE PLÁTANOS. AQUÍ NOS SENTIMOS SEGUROS, LEJOS DE LOS OJOS INTRUSOS DE LA UNIVERSIDAD.

FUERON MUCHOS LOS QUE PERDIERON SU EMPLEO. A ALGUNOS SE LES PAGABA PARA NO HACER NADA. A OTROS SE LES ENVIÓ A TRABAJAR EN LA AGRICULTURA. Y OTROS SE QUEDARON CON LAS MANOS VACÍAS. LOS CLUBES Y CABARETS FUERON SELLADOS.

¿Y QUÉ PASA CON TU TRABAJO, ARACELIS?

BUENO, IMAGÍNATE... PRIMERO NOS CONFISCARON LA CASA DE HUÉSPEDES EN 1960. LUEGO CONSEGUÍ ESTE TRABAJO EN LA TINTORERÍA.

NO SABEMOS QUÉ VA A PASAR. DICEN QUE TAMBIÉN LA VAN A INTERVENIR. COMO TANTOS OTROS, NOS QUEDAREMOS SIN TRABAJO.

¡MIREN QUÉ PESCADO MÁS BUENO! LO CAMBIÉ POR UNOS AGUACATES ESTA MAÑANA. TENDREMOS UNA CENA RICA.

Y YO TRAJE CAFÉ Y PAPEL SANITARIO.

MAS REVOLUCION

GUERRA:

A LA BLANDENGUERIA

AL EGOISMO

AL INDIVIDUALISMO

AL PARASITISMO

AL VICIO

A LA EXPLOTACION

MAS REVOLUCION

TRISTRAM SHANDY

¡QUÉ BUENO! TENDREMOS PANZAS Y CULITOS FELICES ESTA NOCHE.

¡CARAJO! ESTO ESTÁ EN TODAS PARTES. ¿HASTA CUÁNDO?

CONTINUARON LLEGANDO MÁS CITACIONES PARA COMPARECER ANTE LA CORTE CADA DOS MESES, MÁS O MENOS. PERO SIEMPRE ALGO FALTABA Y NADA QUEDABA RESUELTO.

EN LA ESCUELA LAS LETRAS ESCARLATAS EN NUESTRAS FRENTES PARECÍAN HABERSE DESVANECIDO LENTAMENTE. ME ATREVÍ A FALTAR OCASIONALMENTE A LAS CITAS CON EL DR. CÓRDOBA, Y ASISTÍ A CADA SESIÓN DE TRABAJO AGRÍCOLA CONVOCADA. HABÍAMOS SOBREVIVIDO A LO PEOR.
EN UN VIAJE, TRABAJAMOS INTENSAMENTE EN UNA GRAN COSECHA DE TOMATES EN EL "CORDÓN DE LA HABANA", UNA SERIE DE GRANJAS ESTATALES PLANIFICADAS ALREDEDOR DE LA CAPITAL PARA PROVEER DE COMIDA A LA CIUDAD.
TRES DÍAS DESPUÉS DE HABER HECHO UNA GRAN RECOGIDA DE TOMATES, PASAMOS POR EL MISMO CAMPO: LAS CAJAS LLENAS CON NUESTROS TOMATES AUN ESTABAN ALLÍ, LOS FRUTOS DESCOMPONIÉNDOSE BAJO UN SOL ARDIENTE.
¡MIRA, MIRA!
¿ASÍ QUE ESTO ES LO QUE PASA CUANDO ELIMINAN AL INTERMEDIARIO PARÁSITO QUE ANTES TRANSPORTABA LAS COSECHAS A LA CIUDAD...?
LOS TOMATES PODRIDOS NO FUERON LO PEOR QUE PASÓ EN ESE VIAJE.

TED YA SE HABÍA IDO DEL PAÍS A BUSCAR EMPLEO EN LOS ESTADOS UNIDOS. LENORE Y LOS NIÑOS EMPAQUETABAN SUS CAJAS HECHAS A MANO Y LENORE BUSCABA NERVIOSAMENTE UN BARCO MERCANTE QUE LOS LLEVARA A CANADÁ. LOS RECURSOS DE LA FAMILIA DISMINUYERON DE MALA MANERA.

Granma
La Habana, sábado 24 de agosto de 1968
Año del Guerrillero Heroico
EDICION UNICA
Año 4 / Número 204 / Precio: 5 centavos
ORGANO OFICIAL DEL COMITE CENTRAL DEL PARTIDO COMUNISTA DE CUBA
EN CHECOSLOVAQUIA SE MARCHABA HACIA UNA SITUACION
CONTRARREVOLUCIONARIA, HACIA EL CAPITALISMO Y
HACIA
RESULTABA
IMP
OSTA, DE
O OCURRIERA
Nosotros
én las divisiones
del Pacto
ialistas yanquis
acrecien
pueblo de Viet
Nam s
divisiones del
¡NADA DE BEBIDA Y MUCHO DESCANSO POR UN AÑO!
ES HEPATITIS A. LOS MÉDICOS DICEN QUE TENGO QUE HABERLA COGIDO EN UN CAMPAMENTO SUCIO.
ME HOSPITALIZARON POR TRES SEMANAS EN LA CLÍNICA ANTONETTI, JUSTO A TIEMPO PARA PERDERME LA INVASIÓN DE CHECOSLOVAQUIA. FUE TREMENDA NOTICIA EN LA HABANA.
LENORE IMPLORÓ A LAS AUTORIDADES QUE DEMORARAN POR UN MES SU PARTIDA Y LA DE LOS NIÑOS. ELLA Y MIS AMIGOS SE TURNARON EN CUIDARME.
¿LO SUPISTE, GRINGA? ¡LOS SOVIÉTICOS ACABAN DE INVADIR CHECOSLOVAQUIA!
BUENO, PUES NO ESPEREN UNA 'PRIMAVERA CUBANA'. LA OFENSIVA PLANCHÓ ESO.
EL DÍA 23, FIDEL ANUNCIARÍA SU POSICIÓN ANTE LA INVASIÓN. TODOS QUEDARON EN SUSPENSO AGUARDANDO SUS PALABRAS.
NOSOTROS CONSIDERÁBAMOS QUE EN CHECOSLOVAQUIA SE MARCHABA HACIA UNA SITUACIÓN CONTRARREVOLUCIONARIA, HACIA EL CAPITALISMO Y HACIA LOS BRAZOS DEL IMPERIALISMO.
ENTONCES ESTO DEFINE NUESTRA PRIMERA POSICIÓN EN RELACIÓN AL HECHO CONCRETO DE LA ACCIÓN REALIZADA POR UN GRUPO DE PAÍSES SOCIALISTAS. ES DECIR, QUE NOSOTROS CONSIDERAMOS QUE RESULTABA IMPRESCINDIBLE IMPEDIR, A TODA COSTA, DE UNA FORMA O DE OTRA, QUE ESE HECHO OCURRIERA.

LA OPERACIÓN HIPPIE, SEPTIEMBRE 25, 1968

POCO DESPUÉS DE SALIR YO DEL HOSPITAL SE EFECTUÓ UNA MASIVA RECOGIDA POLICIACA EN EL VEDADO, EN LA HELADERÍA COPPELIA, ALREDEDOR DE CIERTOS HOTELES Y EN LA RAMPA, EL CORAZÓN DE LO QUE FUE LA VIDA NOCTURNA, ANTES DE QUE LA OFENSIVA REVOLUCIONARIA APAGARA LA LUZ. ESTA VEZ LOS OBJETIVOS NO ERAN SOLAMENTE LOS HOMOSEXUALES, SINO TODO JOVEN "ENFERMITO" CON PELO LARGO Y QUE LLEVARA PANTALONES "TUBITO", O SANDALIAS, Y MUCHACHAS CON MINIFALDAS. SE SABÍA QUE ESCUCHABAN MÚSICA PROHIBIDA CAPITALISTA EN LAS ESTACIONES "W", COMO WQAM, TRANSMITIDA DESDE MIAMI.
... EN NUESTRA CAPITAL, EN LOS ÚLTIMOS MESES, DIO POR PRESENTARSE UN CIERTO 'FENOMENITO' EXTRAÑO, ENTRE GRUPOS DE JOVENZUELOS [...] INFLUIDOS ENTRE OTRAS COSAS POR LA PROPAGANDA IMPERIALISTA, QUE LES DIO POR COMENZAR A HACER PÚBLICA OSTENTACIÓN DE SUS DESVERGÜENZAS [...] LES DIO POR EMPEZAR A VIVIR DE UNA MANERA EXTRAVAGANTE, REUNIRSE EN DETERMINADAS CALLES DE LA CIUDAD, EN LA ZONA DE LA RAMPA, FRENTE AL HOTEL CAPRI...
"... Y ALLÍ ¿A QUÉ CREEN USTEDES QUE SE DEDICABAN?[...] A LA PROSTITUCIÓN EN NIÑAS PRÁCTICAMENTE DE 14, 15 Y 16 [...] BUSCANDO [...] LOS CIGARRITOS AMERICANOS [...] RADIECITOS DE PILA PARA MANTENER OSTENTOSAMENTE SU CONDICIÓN DE AFICIONADOS A LA PROPAGANDA IMPERIALISTA...
SEPTIEMBRE 29— EN EL OCTAVO ANIVERSARIO DE LOS CDR, FIDEL DIO SU EXPLICACIÓN...
¿Y QUÉ CREÍAN? ¿QUE VIVIMOS EN UN RÉGIMEN LIBERAL BURGUÉS? ¡NO! DE LIBERALES NO TENEMOS NI UN PELO. ¡SOMOS REVOLUCIONARIOS! ¡SOMOS SOCIALISTAS! ¡SOMOS COLECTIVISTAS! ¡SOMOS COMUNISTAS! ¿Y QUÉ QUERÍAN? ¿INTRODUCIR AQUÍ UNA VERSIÓN REVIVIDA DE PRAGA [...] ¿QUÉ CREÍAN? ¿QUE NOS IBAN A INTRODUCIR ESTAS PORQUERÍAS EN EL PAÍS Y LO ÍBAMOS A PERMITIR?

EN OCTUBRE MI FAMILIA SE FUE DEL PAÍS. LOS CONDUJE AL AEROPUERTO EN EL SKODA QUE PRONTO IBA A PERDER. SE MARCHARON A PRAGA Y DE ALLÍ A HAMBURGO, ALEMANIA, PARA QUEDARSE CON EL HERMANO DE LENORE, HASTA QUE PUDIERAN RETORNAR A LOS ESTADOS UNIDOS Y REUNIRSE CON TED. COMO EE UU TENÍA PROHIBIDO VIAJAR A CUBA O VIVIR EN LA ISLA, EL REGRESO DIRECTO ERA IMPOSIBLE.

CON LA AYUDA DE AMIGOS DE MI FAMILIA, BOB PURDY Y UN AUSTRALIANO, HARRY READE, PUDE MUDARME A MI NUEVO HOGAR, EL CUARTO DE CRIADA, CON ENTRADA INDEPENDIENTE, EN CASA DE OTRA FAMILIA AMERICANA, LOS BAILEY. HARRY ERA UN ADMIRADOR ARDIENTE DE LA URSS, IGUAL QUE TED, Y ÉL TAMBIÉN SE FUE DE CUBA EN POCO MENOS DE UN AÑO.
OK, AQUÍ DEBAJO DE LA VENTANA HACEMOS LA CAMA.

LENORE ESCRIBIÓ QUE SU REGRESO AL MUNDO EXTERIOR FUE DIFÍCIL Y DOLOROSO PARA ELLA Y SUS HIJOS. SIEMPRE HABÍA SIDO LA OVEJA NEGRA DE SU FAMILIA, COMO LO FUE TED EN LA SUYA. NO SE SINTIÓ BIENVENIDA POR SUS PARIENTES ALEMANES.

AHORA BIEN, LENORE, NECESITO PEDIRTE QUE NO MENCIONES A LOS VECINOS QUE VIENEN DE CUBA. LOS COMUNISTAS SON MUY MAL VISTOS AQUÍ. SERÍA UN SHOCK PARA ELLOS.
¡AY, JOHANNES! ¡EXAGERAS, SEGURAMENTE!

MIS AMIGOS ESTABAN EN "LA AGRICULTURA" CUANDO ME MUDÉ. AL RETORNAR ELLOS, MI PEQUEÑO CUARTICO SE CONVIRTIÓ EN UN REFUGIO PARA LOS CUATRO.

LA SIGUIENTE TORMENTA SE FORMABA EN EL MUNDO CULTURAL. CORRIÓ LA NOTICIA DE QUE HEBERTO PADILLA HABÍA GANADO EL PREMIO ANUAL DE POESÍA JULIÁN DEL CASAL, OTORGADO POR LA UNEAC (UNIÓN NACIONAL DE ESCRITORES Y ARTISTAS CUBANOS), POR SU LIBRO *FUERA DEL JUEGO* Y QUE ANTÓN ARRUFAT HABÍA LOGRADO EL DE TEATRO POR SU OBRA *LOS SIETE CONTRA TEBAS*. TODO EL MUNDO LO COMENTABA.

PADILLA ERA POETA Y HABÍA SIDO UN DIPLOMÁTICO ENVUELTO YA EN VARIAS POLÉMICAS POLÍTICO/CULTURALES. EL JURADO VOTÓ UNÁNIMEMENTE POR SU LIBRO, DESATANDO LA IRA DE LOS DIRIGENTES CULTURALES, QUIENES LO PROCLAMARON CONTRARREVOLUCIONARIO. EL ESCÁNDALO Y SUS CONSECUENCIAS MARCARON EL FIN DEL IDILIO ENTRE MUCHOS INTELECTUALES, CUBANOS Y EXTRANJEROS, Y LA DIRIGENCIA REVOLUCIONARIA.

UNO de los rasgos más interesante
sorprendentes de la crítica literaria
en general de la literatura en Cuba,
su aparente despolitización. Salvo algún
otro ensayo, más o menos afortunado
en muchos casos al pasado
Los enemigos de nuestra cultura son,
mente, ésos que han destruido en más de u
sión esfuerzos de la Revolución que habría
do ser útiles. "Lunes" fue un ejemplo, ya
pero demostrativo. Las corrientes —y las
liberales y contrarrevolucionarios allí inc
lo echaron a pique. También una obra tan
la Revolución como la "Escuela de Arte" e
punto de zozobrar. Otros ejemplos podrían
Cada vez que ciertas corrientes —que casi

EL "CASO PADILLA" NO FUE EL PRIMER PUNTO DE CONFLICTO ENTRE LOS ARTISTAS, LOS INTELECTUALES Y EL ESTADO. COMENZÓ CON LA REPRESIÓN DEL CORTO *P.M.*, DE 1961, UN DOCUMENTAL LÍRICO SOBRE LA VIDA NOCTURNA EN LA HABANA, REALIZADO POR SABÁ CABRERA INFANTE Y ORLANDO JIMÉNEZ LEAL. FUE JUZGADO COMO FUERA DE TONO CON LOS TIEMPOS (SEIS MESES DESPUÉS DE LA INVASIÓN DE PLAYA GIRÓN). SIN QUE APARECIERAN HEROICOS MILICIANOS, SOLO SE VEÍA GENTE POPULAR —LA MAYOR PARTE NEGROS— BEBIENDO Y BAILANDO LÁNGUIDAMENTE EN UN BAR DEL PUERTO, MIENTRAS SE RELAJABAN EN UNA NOCHE SERENA Y SENSUAL.

LA CRISIS QUE ESTO PROVOCÓ CULMINÓ EN TRES REUNIONES ENTRE FIDEL CASTRO E INTELECTUALES PROMINENTES EN LA BIBLIOTECA NACIONAL. AQUÍ SE TRAZARON LAS REGLAS DEL JUEGO.

"CON LA REVOLUCIÓN TODO —CONTRA LA REVOLUCIÓN— NADA".
FIDEL CASTRO, 1961

¿VISTE EL *VERDE OLIVO* DE ESTA SEMANA? UN TAL HIJO DE PUTA "LEOPOLDO ÁVILA" ATACÓ A VIRGILIO PIÑERA Y A RENÉ ARIZA. LUEGO A CABRERA INFANTE Y AHORA VA CONTRA PADILLA.
¿LEOPOLDO ÁVILA, QUIÉN ES?
VERDE OLIVO ES EL EJÉRCITO, ASÍ QUE SABEMOS DE DÓNDE SALE ESO... UN SEUDÓNIMO, SEGURO.
verde olivo
LOS ESTALINISTAS SE IMPONEN...

ESTOS ATAQUES DE "LEOPOLDO ÁVILA" OCURRIERON ENTRE OCTUBRE '68 Y ENERO '69. TRES AÑOS MÁS TARDE, ARRESTARON A PADILLA. ÉL DESPUÉS PROTAGONIZÓ UN NOTORIO JUICIO POLÍTICO, QUE RECORDABA LOS PROCESOS DE MOSCÚ.

BUENO, TENGO OTRA NOTICIA, LAS VIEJAS, VICENTINA Y LA JEFA DE MI DEPARTAMENTO, DICEN QUE DEBO IRME DE LA CIUDAD POR UN AÑO. QUE TENDRÉ QUE IR A ISLA DE PINOS Y LIMPIAR MI NOMBRE. LAS COSAS TODAVÍA ESTÁN MUY CALIENTES EN LA ESCUELA.
¡NO! ¡NO TE VAYAS!
¿PARA HACER QUÉ ALLÍ?

ME SENTÍ DESOLADA. MI FAMILIA SE HABÍA IDO; YO ME RECUPERABA, PERO AÚN ESTABA DÉBIL DESPUÉS DE LA HEPATITIS, Y ACABABA DE COMENZAR MI VIDA EN EL NUEVO VEDADO.

EN NUESTRA ÚLTIMA NOCHE JUNTOS, NOS DELEITAMOS CON GUISADO DE CONEJO; EL RON ABUNDABA; Y CANTAMOS NUESTRAS CANCIONES. "LIBRES HURÍES" ERA UN POEMA DE LA NOCHE 390 DE *LAS MIL Y UNA NOCHES*. JUAN LE HABÍA PUESTO MÚSICA Y, POR AHORA, FUE NUESTRO HIMNO SECRETO.

¡LIBRES HURÍES Y VÍRGENES, NOS REÍMOS DE LAS SOSPECHAS! ¡SOMOS LAS GACELAS DE LA MECA, A LAS QUE ESTÁ PROHIBIDO ESPANTAR! ¡LA GENTE SOEZ NOS ACUSA DE VICIOS PORQUE TENEMOS LOS OJOS LÁNGUIDOS Y PORQUE ES ENCANTADOR NUESTRO LENGUAJE! ¡HACEMOS ADEMANES INDECENTES QUE OBLIGAN A DESVIARSE A LOS MUSULMANES PIADOSOS!
DESPUÉS QUE SE FUERA MARTUGENIA DE LA HABANA, DECIDÍ EXPLORAR AL ZOOLÓGICO QUE SE ENCONTRABA A SOLO DOS CUADRAS DE MI CASA. EL RUGIR DE LOS LEONES CADA NOCHE SE HIZO PARTE DE LA CINTA SONORA DE MI VIDA DIARIA.

CONOCÍ A UNO DE LOS VETERINARIOS QUE TRABAJABA ALLÍ Y LE PREGUNTÉ POR MI AMIGO.

¿SABES LA HISTORIA DE ESTE GIBÓN? PARECE QUE ME ESPERA Y SE PONE TAN FELIZ CUANDO APAREZCO.

¡AH, SÍ! ÉL ERA MASCOTA DE UNA AMERICANA RICA Y VIVÍA CON ELLA EN SU FINCA. CUANDO TRIUNFÓ LA REVOLUCIÓN, ELLA SE FUE DEL PAÍS Y EL MONO ACABÓ AQUÍ.

TE PARECES A ELLA UN POCO. EL PELO LARGO... SERÁ QUE SE LA RECUERDAS.

LO VISITABA LO MÁS POSIBLE.

1969— "EL AÑO DEL ESFUERZO DECISIVO"

LUEGO DE MUDARME PARA EL NUEVO VEDADO, LAS CITACIONES DEJARON DE LLEGAR. ERA ALGO QUE ESPERABA TENSAMENTE DURANTE MESES. Y AHORA SALIÓ LA NOTICIA DE QUE HABÍAN DESMANTELADO LOS INFAMES CAMPAMENTOS DE TRABAJO FORZADO, LAS UMAP. DEMASIADA MALA PRENSA, AL PARECER...

UNA DE MIS CLASES FUE UN CURSO CON ADELAIDA DE JUAN. EN VIAJES A LA HABANA VIEJA Y OTROS BARRIOS, VISITAMOS EDIFICIOS DECRÉPITOS DE LA ERA COLONIAL, AHORA CONVERTIDOS EN LOS LLAMADOS "SOLARES": INMUEBLES SUBDIVIDIDOS EN MÚLTIPLES HABITÁCULOS, A VECES PARA FAMILIAS COMPLETAS.
ADELAIDA ERA LA ESPOSA DE ROBERTO FERNÁNDEZ RETAMAR, ESCRITOR Y VOZ DE LA INTELIGENCIA OFICIAL. ERA EVIDENTE QUE YO NO LE ERA SIMPÁTICA, POR LO QUE ME FUE DIFÍCIL SOPORTAR SUS CLASES. SIN EMBARGO, LAS VISITAS RESULTARON MARAVILLOSAS. DESCUBRÍ ESPACIOS VERDADERAMENTE MÁGICOS.

HERNÁN, TAMBIÉN ESTUDIANTE DE LA ESPECIALIDAD DE HISTORIA DEL ARTE, SE HIZO MI COMPAÑERO DE ESTUDIOS Y AMIGO. EXPLORAMOS LA CIUDAD VIEJA CON OTROS ESTUDIANTES DE ARTE Y DE LITERATURA DE NUESTRO AÑO, COMO NATALIA, QUIEN PRONTO FUE EXPULSADA DE LA UJC POR REUNIRSE CON "DESVIADOS SEXUALES".

¡AY NO! ¡ESTÁN DESTROZANDO LA VIDRIERA!
¡QUÉ GATICO MÁS LINDO!
¡LLÉVATELO, NO TENGO COMIDA PA' TODOS!
¡GRACIAS! ¡ME LO LLEVO!

CUANDO REGRESÉ A CASA ENFRENTÉ LA REALIDAD. AHORA TENÍA OTRA BOCA QUE ALIMENTAR, ¿PERO CON QUÉ? MIS RACIONES CUBANAS Y MIS DÓLARES PARA LA DIPLO NO ALCANZARÍAN.

OJALÁ HAYA PESCADO HOY. A VER SI HAGO ESTO BIEN.
MERCADO

HICE FRECUENTES VIAJES AL CARNICERO QUE ME TOCABA POR LA LIBRETA.

ARMANDO... ¿QUÉ TIENES PARA DARME HOY?
PARA TI, BASTANTE...
PRODUCTOS
Merluza
MMM... ¿Y CUÁNTO ME PUEDES DAR, ARMANDO?
¿CUÁNTO TÚ QUIERES, AMERICANA?
TODO LO QUE TÚ ME PUEDES DAR, ARMANDO.

CADA VEZ QUE HABÍA PESCADO, SALÍA YO CON LA JABA LLENA DE CINCO O SEIS MERLUZAS, MUCHAS VECES MÁS QUE MI CUOTA. ROBIN, EL GATO, Y YO FUIMOS FELICES ENTONCES. POR SUPUESTO, MUCHAS VECES NO HABÍA PESCADO ALGUNO EN MI CARNICERÍA. LA COMIDA FRECUENTEMENTE ERA ESPAGUETI SIN SALSA PARA LOS DOS.

LA ESCUELA ME FUE DIFÍCIL MIENTRAS TODAVÍA CONVALECÍA. NO HABÍA MUCHO DE COMER. PASÉ HORAS ESCRIBIENDO CARTAS A LA ISLA DE PINOS Y BUSCANDO VIAJEROS DE CONFIANZA.

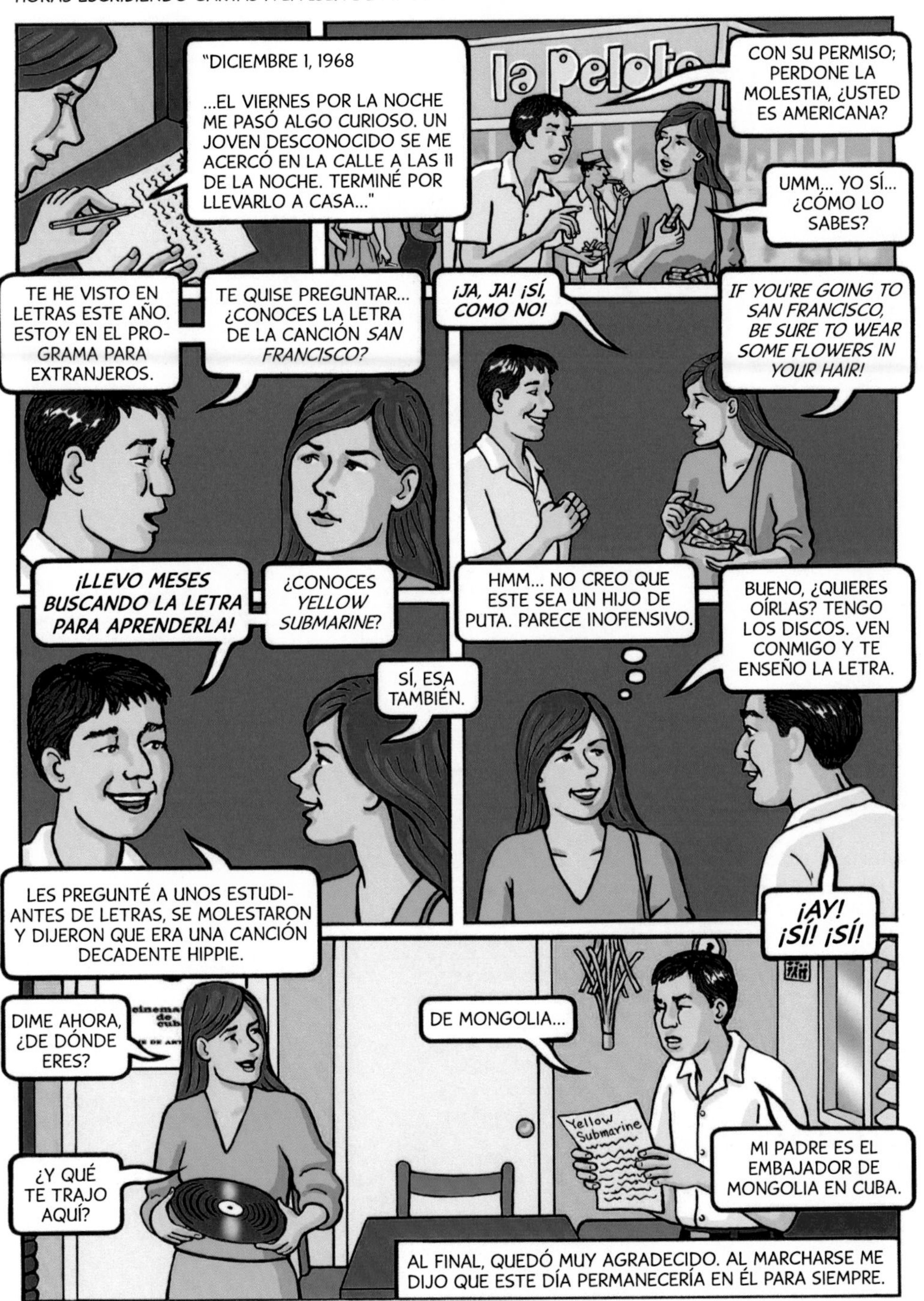

THEY CALL ME MELLOW YELLOW...
MUCHO ANTES DE QUE SARA, LA PRIMITA DE MARTUGENIA, SALIERA EN ESCENA Y VIAJARA POR EL MUNDO COMO UNA DE LAS VOCES DE LA NUEVA TROVA, ELLA NOS VISITABA.

EN EL TERCER AÑO DE NUESTRO PROGRAMA DE HISTORIA DEL ARTE, HERNÁN Y YO COMPARTIMOS MARATONES DE ESTUDIOS INTENSIVOS, AYUDADOS POR ABUNDANTES ANFETAMINAS. MIENTRAS TANTO, SU PRIMO EDDY DEVORABA CADA DISCO DE LOS BEATLES Y DONOVAN QUE YO POSEÍA.

MENOS MAL QUE NOS HAN DADO HASTA EL LUNES. COGE, TÓMATE UNO DE ESTOS.
¡ESTO ME ESTÁ DANDO UNA CRISIS NERVIOSA...!
BORROMINI
EL BARROCO

AL FIN, MARTUGENIA REGRESÓ DEFINITIVAMENTE. UNA NOCHE HÚMEDA Y CALUROSA, MIENTRAS YO ESTUDIABA Y ELLA CALIFICABA EXÁMENES, DE PRONTO TOCARON EN LA PUERTA. POR EL CALOR SOFOCANTE, LLEVÁBAMOS LA MÍNIMA ROPA POSIBLE...
¡¡¡MARTICA!!!
¡¡¡MARTICA!!!
¡MARTICA!
¡AY, DIOS! ¡ES ROMELIA!
¿CÓMO SUPO LA DIRECCIÓN DONDE VIVO?
TIENE SUS CONTACTOS...
¡PUTA! ¡PERVERTIDA! ¡¿QUÉ HACES AHÍ?!
¡DEGENERADA!
¡ABRAN LA PUERTA ANTES DE QUE LA ROMPA!
POR NADA PODEMOS DEJARLA ENTRAR. VERÁ QUE CASI VIVO AQUÍ.
¡COÑO! SI ELLA SIGUE GRITANDO, VA A DESPERTAR A LOS VECINOS; LLAMARÁN A LA POLICÍA Y ESTAREMOS PERDIDAS.

EN EL VECINDARIO VIVÍAN MUCHOS MILITARES. YO TRATABA DE SER LO MÁS INVISIBLE POSIBLE.

PASARON QUINCE MINUTOS Y NO HUBO MÁS RUIDO.
¡UFF! MENOS MAL, YA SE FUE.
NO... LA CONOZCO. ESTÁ POR AHÍ EN LA CALLE, ESPERÁNDOME HASTA QUE SALGA. ¡TENEMOS QUE ALEJARLA DE AQUÍ, COMO SEA!

HAY UNA SOLA SOLUCIÓN. ME LLEVO UNOS LIBROS Y TREPO EL MURO DEL PATIO INTERIOR.
SALGO POR LA CALLE 45 Y DOY LA VUELTA HASTA MI CALLE, COMO SI ACABARA DE BAJAR DE LA GUAGUA. ELLA NO CONOCE EL BARRIO.
¡BIEN! ¡APÚRATE!
¡¿¡AY, ROMELIA!?! ¿QUÉ HACES AQUÍ? ¿PASA ALGO?
ESTABA ANTE TU PUERTA. MARTICA ESTÁ ALLÍ ADENTRO... CONTIGO...
VI SOMBRAS QUE SE MOVÍAN DEBAJO DE TU PUERTA...
¿ESTÁS LOCA? ¡ACABO DE REGRESAR DE LA BIBLIOTECA! YO NO SÉ DÓNDE ESTÁ MARTUGENIA.
¡POR DIOS, ROMELIA! SERÍA MI GATO. PROBABLEMENTE LO MATASTE DEL SUSTO.
POR FAVOR, VETE A CASA. TENGO QUE ESTUDIAR.
A MARTUGENIA NO LE PASA NADA. SABES QUE YA ES UNA ADULTA.

ROMELIA SE RETIRÓ LENTAMENTE Y SE MARCHÓ HACIA LA AVENIDA 26. ESPERÉ HASTA QUE DESAPARECIERA POR LA ESQUINA ANTERIOR A LA PARADA DE LA GUAGUA.

LA BODA

AHORA QUE MARTUGENIA VOLVÍA A LA HABANA, A TRABAJAR EN LA UNIVERSIDAD, BUSCAMOS UN PLAN DE LIBERACIÓN PERSONAL BAJO LAS CIRCUNSTANCIAS, UN PLAN QUE LE PERMITIRÍA LIBERARSE DE SUS PADRES Y DONDE SU VIDA PRIVADA SERÍA ASUNTO SUYO. TAMBIÉN SERÍA UN BUEN CAMUFLAJE PARA LOS DEMÁS.

LA CEREMONIA
... Y AHORA PUEDE BESAR A SU NOVIA.
¡QUE PAREJA MÁS LINDA!
LA FIESTA
¡ARRIBA! ¡CARLOS GARDEL!
LA LUNA DE MIEL
COMO PARTE DEL PAQUETE MATRIMONIAL, MARTUGENIA Y JUAN TENÍAN DERECHO A UN NÚMERO DE DÍAS EN UN HOTEL DE PRIMERA QUE PODRÍAN PAGAR EN MONEDA NACIONAL. LES DIERON UNA HABITACIÓN PARA BODAS EN EL HABANA LIBRE, DONDE NOS PERMITIERON A SUS AMIGOS VISITARLOS EN EL ÁREA DE LA PISCINA (NUNCA EN LA HABITACIÓN). ALLÍ PASAMOS DÍAS DICHOSOS Y DISFRUTAMOS DE LOS MUY CODICIADOS PANES CON QUESO TOSTADOS A LA PARRILLA, ALGO SOLO PENSADO PARA LOS HUÉSPEDES.

Capítulo 6

Una visita al Norte

A FINALES DEL '69, CUANDO COMENZÓ EL PERÍODO DE LA "GRAN ZAFRA DE LOS DIEZ MILLONES", EL PAÍS ENTERO FUE MOVILIZADO PARA ALCANZAR LA META HISTÓRICA QUE FIDEL CASTRO HABÍA TRAZADO: LA PRODUCCIÓN DE 10 MILLONES DE TONELADAS DE AZÚCAR, LA MÁS GRANDE EN LA HISTORIA DE CUBA. CUALQUIER DUDA QUE SE EXPRESARA AL RESPECTO SERÍA CONSIDERADA COMO UN ACTO CONTRARREVOLUCIONARIO... LA PRIMAVERA DE 1970 FUE TESTIGO DEL RUINOSO FRACASO, UNA NUEVA DESILUSIÓN.
PERO ME PERDÍ LA DEBACLE. MI MADRE HABÍA PRESIONADO DURANTE MESES PARA QUE LA FUERA A VISITAR Y ME HABÍA ENVIADO DINERO PARA UN PASAJE A MONTREAL EN UN BARCO MERCANTE SOVIÉTICO.
TENGO QUE VISITAR A MI FAMILIA. LENORE ME HA MANDADO EL DINERO. YA LLEVO DOS AÑOS SIN VERLOS...
¿PERO VAS A REGRESAR?
CLARO. ¡BOBA! IMPOSIBLE NO HACERLO.
PARTE DE TI EXTRAÑA A LOS ESTADOS UNIDOS.
ESO SUCEDERÁ DONDEQUIERA QUE YO VIVA. NUNCA SERÉ COMPLETA. NO HAY REMEDIO, ES MI REALIDAD.

LLEGAMOS A TIEMPO PARA UN CAFECITO DE ROMELIA.
¿POR QUÉ UN BOLETO SOLAMENTE DE IDA?
NO TENÍA DINERO PARA MANDARME MÁS. DIJO QUE NO ME PREOCUPARA.
¡HOLA, GRINGA! ¿ASÍ QUE NOS VAS A DEJAR?
NO, NO, ROMELIA. ME FALTA UN AÑO DE LA ESCUELA Y LUEGO TENGO QUE PRESENTAR MI TESIS. TENGO QUE VOLVER.
YA SÉ, GRINGA. ERES UNA BUENA REVOLUCIONARIA...
CARIÑO, ERES COMO LA RATA MARINA *EN THE WIND IN THE WILLOWS...*
ESCUCHA...

"NO ERES UNA DE NOSOTROS", DIJO LA RATA DEL RÍO... "CIERTO," RESPONDIÓ LA FORASTERA. "SOY UNA RATA MARINA [...] Y MI PUERTO DE ORIGEN ES CONSTANTINOPLA, ¡AUNQUE ALLÍ TAMBIÉN SOY EN PARTE EXTRANJERA!" [...]

"Y AHORA" –CONTINUÓ ELLA SUAVEMENTE–, "PARTO DE NUEVO, HACIA EL SUROESTE, DURANTE MUCHOS LARGOS Y POLVORIENTOS DÍAS [...] ALLÁ, MÁS PRONTO O MÁS TARDE, ARRIBAN LAS NAVES DE LAS NACIONES MARÍTIMAS; ALLÁ, A SU HORA DESTINADA, MI BARCO BAJARÁ SU ANCLA" [...]

GRADUALMENTE LA RATA CAYÓ EN UN SUEÑO TURBULENTO, INTERRUMPIDO POR MURMULLOS CONFUSOS, COSAS EXTRAÑAS Y SALVAJES [...].

NAVEGUÉ LA BUROCRACIA, CONSEGUÍ MI PERMISO DE REENTRADA, RESERVÉ UN CAMAROTE EN UN BARCO MERCANTE SOVIÉTICO, Y ASEGURÉ QUE ME CUIDARAN A ROBIN.

LOS OFICIALES SOVIÉTICOS TODOS QUERÍAN PRACTICAR SU INGLÉS.

DESPUÉS DE DIEZ DÍAS EN EL MAR, ENTRAMOS AL RÍO SAN LORENZO; PASAMOS LA COSTA DE NUEVA ESCOCIA, LA ISLA DEL PRÍNCIPE EDUARDO Y QUÉBEC, HASTA ANCLAR EN MONTREAL.

SUS PAPELES NO ESTÁN EN ORDEN. ¡ENTRADA DENEGADA!
¡¿QUÉ DICE USTED?! ¡TODOS MIS PAPELES ESTÁN EN REGLA! ¡ESTE BARCO PARTE MAÑANA PARA LENINGRADO! ¡TENGO QUE BAJARME AQUÍ, MI FAMILIA ME ESTÁ ESPERANDO!
ERA LA NOCHEBUENA Y EL OFICIAL DE IMMIGRACIÓN CANADIENSE TENÍA TREMENDA BORRACHERA.

AFORTUNADAMENTE YO TENÍA UN VIEJO AMIGO QUE VIVÍA EN MONTREAL. OJALÁ ESTUVIERA EN CASA.

ROBERT ME RESCATÓ DEL MUELLE CONGELADO, Y AL DÍA SIGUIENTE, ME LLEVÓ A LA ESTACIÓN DE TRENES. CRUCÉ LA FRONTERA Y SEGUÍ HASTA CROTON-ON-HUDSON, DONDE TED ME RECOGIÓ. ME SENTÍA COMO UNA VIAJERA INTERPLANETARIA.
LENORCHEN ESTÁ POSTRADA EN LA CAMA CON UNA MIGRAÑA. ESTÁ MUY EXCITADA CON TU VISITA.
¡AY, NO!
¡BRR!!! ASÍ DEBE SER EN SIBERIA...
¡AY, MI CONNIE! ¡ESTÁS TAN FLACA! ¡NO TE HAS ALIMENTADO BIEN!
AY, MIS AMORES...
DURANTE DOS AÑOS NO HUBO LLAMADAS TELEFÓNICAS, SOLO CARTAS CADA DOS O TRES MESES. NUESTROS MUNDOS ESTABAN SEPARADOS POR SIGLOS, NO SOLO POR LA GEOGRAFÍA, Y LA GUERRA FRÍA.
UNOS DÍAS MÁS TARDE
LAMENTO DECÍRTELO, PERO ESTAMOS APRETADOS DE DINERO...
TENDRÁS QUE BUSCAR TRABAJO SI QUIERES COMPRAR COSAS, Y PARA TU PASAJE DE REGRESO TAMBIÉN.
OK, TRES DOCENAS DE CONEJITOS AZULES, CUATRO DOCENAS DE OSITOS ROSADOS...
!!!
ENCONTRÉ UN TRABAJO DE RECEPCIONISTA EN LA OFICINA DE UNA FÁBRICA DE JUGUETES.
...CÓMO AÑORO ESTAR EN LA HABANA AHORA.
DURANTE UN MES VIAJÉ ENTRE CROTON Y MANHATTAN PARA UN TRABAJO DE 9 A 5, AGRADECIDA POR EL DINERO GANADO.

LOS FINES DE SEMANA LOS PASABA CON MIS HERMANOS. NIKKI Y YO NOS ACERCAMOS COMO NUNCA MÁS PUDIMOS DESPUÉS...
NO QUIERO QUE TE VAYAS. QUÉDATE CONMIGO.
AY, NICKAROO, PERO NO TENGO UNA VIDA AQUÍ. TODAVÍA ESTOY ESTUDIANDO Y, ADEMÁS, NO PUEDO VIVIR YA CON TED Y LENORE.
POP MUSIC FESTIVAL PRESENTS:
TELL'EM GROUCHO SENT YA
ZAPPA AND THE MOTHERS OF INVENTION
VANILLA FUDGE
¡QUÉ CAJA MÁS LINDA!
CÓGELA. ES UN REGALO.
LA HIJA DE UN COLEGA DE TED DESDE SUS DÍAS UNIVERSITARIOS, Y AHORA SU JEFE, HABÍA FUNDADO *RED STOCKINGS*, UNA ORGANIZACIÓN FEMINISTA RADICAL, MUY ACTIVA EN NUEVA YORK.
¡VEN A UNA REUNIÓN! ¡CONOCERÁS A MUCHAS MUJERES INTERESANTES Y LES PUEDES CONTAR DE LA REVOLUCIÓN!
AH, GRACIAS, ME GUSTARÍA.
PERO... ¿QUÉ HARÁN EN SUS REUNIONES?
¡QUÉ INTERESANTE CONOCER A ALGUIEN QUE VIVE EN CUBA! ESCRIBO PARA *RAT SUBTERRANEAN NEWS*. QUISIERA ENTREVISTARTE SOBRE LAS MUJERES EN CUBA.
TOMA MI DIRECCIÓN Y TELÉFONO. NOS PODEMOS ENCONTRAR ALLÍ. ¿MAÑANA A LAS SEIS DE LA TARDE?
¡FANTÁSTICO, ASÍ ME LIBRO DE TED Y LENORE!
UNA PUERTA ABRIÓ OTRA, Y PRONTO CONOCÍ A OTRAS MUJERES DEL "MOVIMIENTO", LAS DE LAS PROTESTAS EN LA CALLE, LAS REUNIONES DE *"CONCIOUSNESS-RAISING"*, Y LAS QUE CREARON LA PRENSA ALTERNATIVA.
SÍ, PERO, AH... NO SÉ SI PODRÉ EXPLICARLES...

THE WEATHER UNDERGROUND, UN GRUPO MILITANTE, ULTRA-IZQUIERDISTA, DE REVOLUCIONARIOS —O TERRORISTAS, SEGÚN QUIEN HABLE— RECIBIÓ NOTORIEDAD POR UNA SERIE DE ACTIVIDADES TERRORISTAS URBANAS CONTRA EL *"ESTABLISHMENT"*, LOS QUE ESTABAN EN EL PODER Y SUS ALLEGADOS, EN PROTESTA CONTRA LA GUERRA EN VIETNAM Y EL IMPERIALISMO AMERICANO.

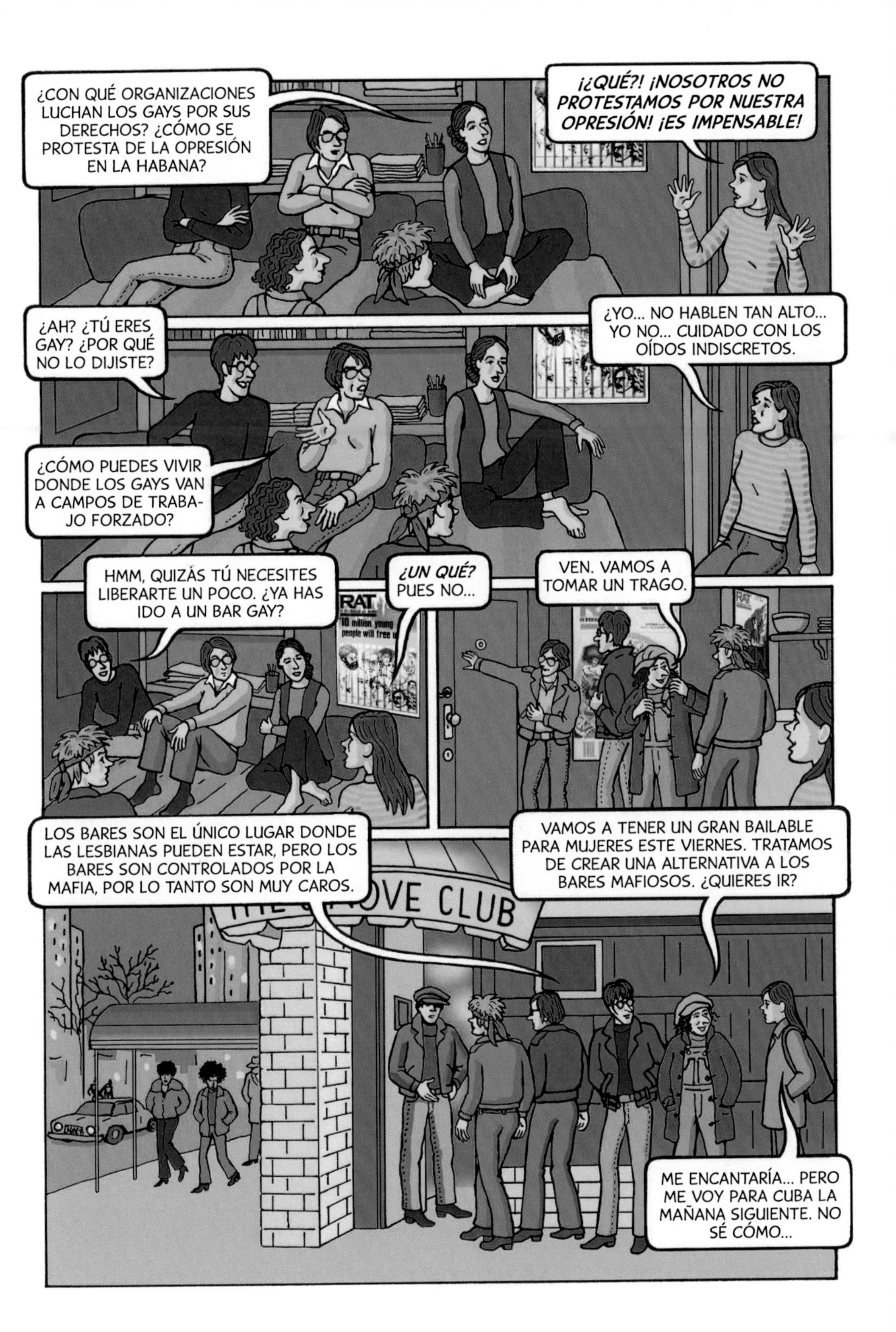
¿CON QUÉ ORGANIZACIONES LUCHAN LOS GAYS POR SUS DERECHOS? ¿CÓMO SE PROTESTA DE LA OPRESIÓN EN LA HABANA?
¡¿QUÉ?! ¡NOSOTROS NO PROTESTAMOS POR NUESTRA OPRESIÓN! ¡ES IMPENSABLE!
¿AH? ¿TÚ ERES GAY? ¿POR QUÉ NO LO DIJISTE?
¿YO... NO HABLEN TAN ALTO... YO NO... CUIDADO CON LOS OÍDOS INDISCRETOS.
¿CÓMO PUEDES VIVIR DONDE LOS GAYS VAN A CAMPOS DE TRABA-JO FORZADO?
HMM, QUIZÁS TÚ NECESITES LIBERARTE UN POCO. ¿YA HAS IDO A UN BAR GAY?
¿UN QUÉ? PUES NO...
VEN. VAMOS A TOMAR UN TRAGO.
LOS BARES SON EL ÚNICO LUGAR DONDE LAS LESBIANAS PUEDEN ESTAR, PERO LOS BARES SON CONTROLADOS POR LA MAFIA, POR LO TANTO SON MUY CAROS.
VAMOS A TENER UN GRAN BAILABLE PARA MUJERES ESTE VIERNES. TRATAMOS DE CREAR UNA ALTERNATIVA A LOS BARES MAFIOSOS. ¿QUIERES IR?
ME ENCANTARÍA... PERO ME VOY PARA CUBA LA MAÑANA SIGUIENTE. NO SÉ CÓMO...

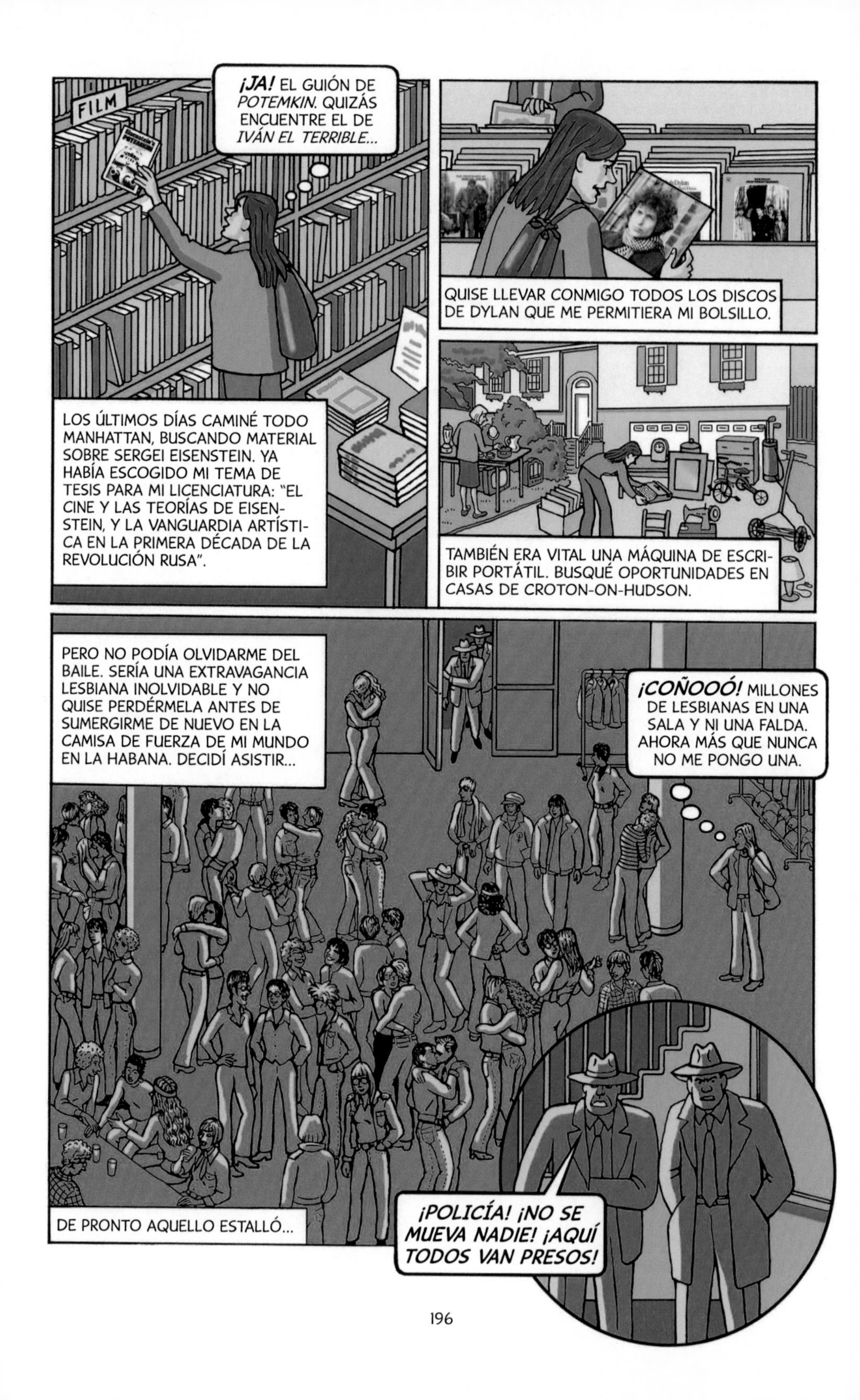
FILM
¡JA! EL GUIÓN DE *POTEMKIN.* QUIZÁS ENCUENTRE EL DE *IVÁN EL TERRIBLE...*
LOS ÚLTIMOS DÍAS CAMINÉ TODO MANHATTAN, BUSCANDO MATERIAL SOBRE SERGEI EISENSTEIN. YA HABÍA ESCOGIDO MI TEMA DE TESIS PARA MI LICENCIATURA: "EL CINE Y LAS TEORÍAS DE EISENSTEIN, Y LA VANGUARDIA ARTÍSTICA EN LA PRIMERA DÉCADA DE LA REVOLUCIÓN RUSA".
QUISE LLEVAR CONMIGO TODOS LOS DISCOS DE DYLAN QUE ME PERMITIERA MI BOLSILLO.
TAMBIÉN ERA VITAL UNA MÁQUINA DE ESCRIBIR PORTÁTIL. BUSQUÉ OPORTUNIDADES EN CASAS DE CROTON-ON-HUDSON.
PERO NO PODÍA OLVIDARME DEL BAILE. SERÍA UNA EXTRAVAGANCIA LESBIANA INOLVIDABLE Y NO QUISE PERDÉRMELA ANTES DE SUMERGIRME DE NUEVO EN LA CAMISA DE FUERZA DE MI MUNDO EN LA HABANA. DECIDÍ ASISTIR...
¡COÑOOÓ! MILLONES DE LESBIANAS EN UNA SALA Y NI UNA FALDA. AHORA MÁS QUE NUNCA NO ME PONGO UNA.
DE PRONTO AQUELLO ESTALLÓ...
¡POLICÍA! ¡NO SE MUEVA NADIE! ¡AQUÍ TODOS VAN PRESOS!

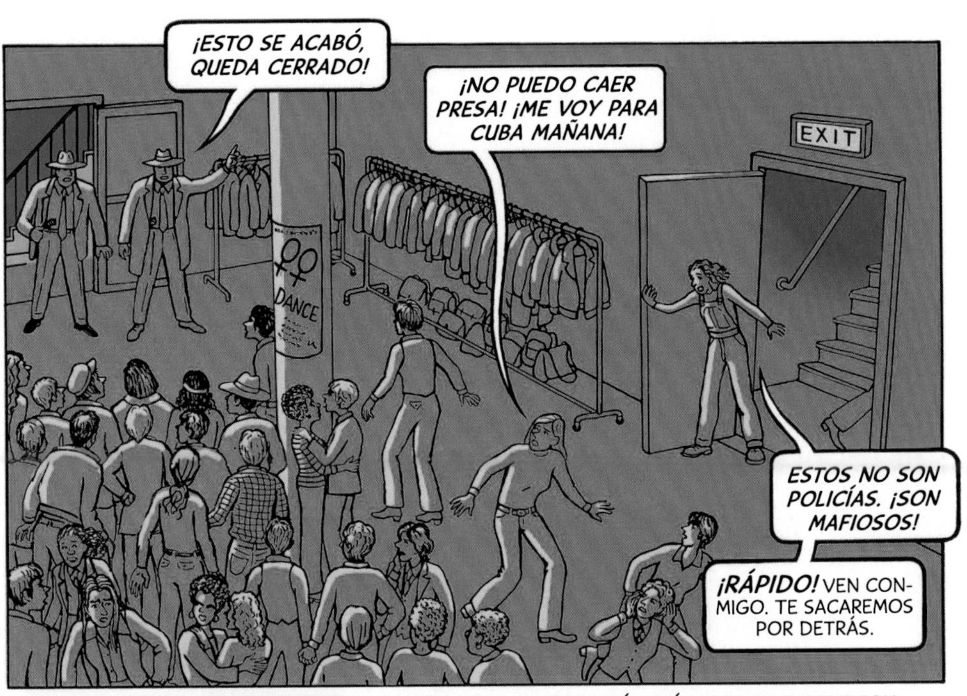
¡ESTO SE ACABÓ, QUEDA CERRADO!
¡NO PUEDO CAER PRESA! ¡ME VOY PARA CUBA MAÑANA!
EXIT
DANCE
ESTOS NO SON POLICÍAS. ¡SON MAFIOSOS!
¡RÁPIDO! VEN CONMIGO. TE SACAREMOS POR DETRÁS.

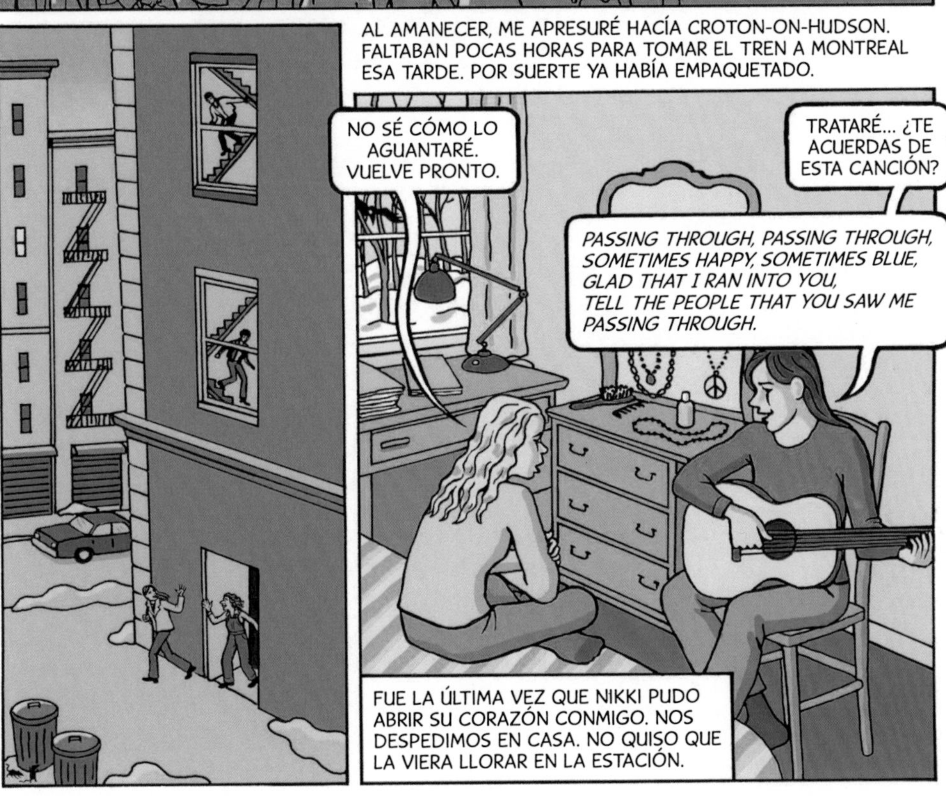
AL AMANECER, ME APRESURÉ HACÍA CROTON-ON-HUDSON. FALTABAN POCAS HORAS PARA TOMAR EL TREN A MONTREAL ESA TARDE. POR SUERTE YA HABÍA EMPAQUETADO.
NO SÉ CÓMO LO AGUANTARÉ. VUELVE PRONTO.
TRATARÉ... ¿TE ACUERDAS DE ESTA CANCIÓN?
PASSING THROUGH, PASSING THROUGH, SOMETIMES HAPPY, SOMETIMES BLUE, GLAD THAT I RAN INTO YOU, TELL THE PEOPLE THAT YOU SAW ME PASSING THROUGH.
FUE LA ÚLTIMA VEZ QUE NIKKI PUDO ABRIR SU CORAZÓN CONMIGO. NOS DESPEDIMOS EN CASA. NO QUISO QUE LA VIERA LLORAR EN LA ESTACIÓN.

¡ADIÓS! ¡ADIÓS! ¡LOS QUIERO!
¡ADIÓS, MI CONNIE!
¡BYE, BYE!
¡QUE TE VAYA BIEN! ¡HASTA LUEGO!
GARE WINDSOR
WINDSOR STATION
MI AMIGO ROB ME AMPARÓ OTRA VEZ Y ME DIO COBIJO; MIENTRAS, BUSQUÉ UN BARCO MERCANTE A CUBA, PREFERIBLEMENTE AL PUERTO DE LA HABANA.
A LOS DOS DÍAS ROB ME INVITÓ AL CINE PARA VER LA PELÍCULA *M.A.S.H* CON UN PAR DE AMIGOS.
TENGO QUE IR A LA OFICINA UN RATO. TE BUSCO MÁS TARDE PARA IR AL CINE.
HICE UNOS BIZCOCHOS DE CHOCOLATE. TOMA, CREO QUE TE GUSTARÁN. SON ESPECIALES.
Cheerios
¿HMM... ¿POR QUÉ NO? PRONTO ESTARÉ EN MI OTRA VIDA. AQUÍ EN CANADÁ NADIE SABRÁ.
CLARO QUE YO SABÍA QUE SE TRATABA DE "YERBA", UN PECADO TENTADOR.
¡MMM! ¡DELICIOSO! PERO NO SIENTO NADA. COMERÉ OTRO.
¡BAH! A ROB SE OLVIDÓ PONERLE YERBA. ESTOS BIZCOCHOS SON UN FRACASO.
... PERO MUY RICOS. UNO SOLO MÁS. ¡MMM...!
¡HOLA! ¡VÁMONOS! HAY QUE HACER COLA PARA LAS ENTRADAS. NOS ENCONTRAREMOS CON LOS OTROS EN EL CINE.

"'MASH' IS THE BEST AMERICAN WAR COMEDY SINCE SOUND CAME IN."
MASH
ROB... CREO... QUE ME... CAIGO...
¡COÑO! ¿QUÉ TE PASA?!?!
MIENTRAS ESPERABA, LOS BIZCOCHOS HICIERON SU EFECTO.
DEMASIADOS... BIZCOCHOS...
¡DIOS MÍO! ¿CUÁNTOS COMISTE?
¡CARAJO! ¡VIENE UN POLICÍA! ¡NI UNA PALABRA!
EH, ¿AQUÍ QUÉ PASA?
YO BIEN... NADA... UN CALAMBRE ABDOMINAL...
NO SÉ, CREO QUE LA DEBERÍA LLEVAR A LA SALA DE EMERGENCIAS.
¡NO, NO! NO ES NECESARIO. ME SIENTO MUCHO MEJOR.
TRAS MI NEBLINA MENTAL RECORDÉ LA VEZ ANTERIOR QUE VISITÉ UNA SALA DE EMERGENCIAS Y ENCONTRÉ LA FUERZA PARA NEUTRALIZAR AL POLICÍA.
ROB, LLÉVAME A CASA. NECESITO UNA BOLSA DE AGUA CALIENTE.
SÍ, CLARO... ¡ADIÓS OFICIAL!
"'MASH' IS THE ... SOUND CAME IN."
CON TODA LA DIGNIDAD POSIBLE QUE PUDE ACUMULAR, ME PUSE DE PIE Y ME DESPEDÍ, AGARRADA DE ROB CON TODA MI FUERZA.
BUENO, ¡INTENTEMOS DE NUEVO! DICEN QUE LA PELÍCULA ES DIVERTIDA.
AL DÍA SIGUIENTE YO ESTABA NUEVECITA.

ESA SEMANA HICE MI COMPRA MÁS IMPORTANTE, ADEMÁS DE LOS LIBROS, UN REFRIGERADOR PEQUEÑITO. HABÍA SIDO MUY DIFÍCIL VIVIR SIN UNA NEVERA EN EL TRÓPICO.
¡QUÉ FELICIDAD! ¡Y HASTA HACE CUBITOS DE HIELO!
HBC 123
¡AY! ESPERO QUE EL BARCO ANCLE EN LA HABANA.
¡ADIÓS! NOS VEMOS EN CUBA ALGÚN DÍA! ¡GRACIAS POR TODO!
¡SÍ! ¡CUÍDATE!
AL FIN CONSEGUÍ PASAJE EN EL BARCO SOVIÉTICO, EL VOLKOV, QUE IBA PARA CUBA, HACIA UN PUERTO DESCONOCIDO.
HMM, EL CAMAROTE NO ESTÁ MAL. A VER SI PESCO AGUJEROS DE MIRONES...
¡DOBRIY VYECHER!
¡BUENAS NOCHES!
¡UFF! ¡SOPA DE MANTECA!
AHORA A VER CÓMO PODRÉ DESEMBARCAR MIS COMPRAS EN CUBA.
NO PUEDO CREER QUE EXIJAN UNA LISTA DE CADA COSA QUE LLEVO, HASTA CADA PAR DE BRAGAS, TAMPAX, CADA LIBRO...
MENOS MAL QUE TRAJE ESTA MAQUINA.

AL PRINCIPIO LA TRIPULACIÓN Y LOS OFICIALES ME TRATARON CON FRIALDAD. NADIE HABLÓ CONMIGO DURANTE LA PRIMERA SEMANA DE ESTE VIAJE DE ONCE DÍAS. PERO AL FIN, EL DESHIELO OCURRIÓ CUANDO UNA DE LAS CHICAS DE LA TRIPULACIÓN, TATIANA, QUISO PRACTICAR SU INGLÉS CONMIGO.

AL ACERCARNOS AL TRÓPICO, CUANDO AUMENTÓ EL CALOR, EL CAPITÁN, EL CUARTO OFICIAL, EL MÉDICO DEL BARCO, Y EL COMISARIO POLÍTICO, TODOS QUERÍAN PRACTICAR SU INGLÉS.

TUVE SUFICIENTE TIEMPO PARA PENSAR. ¿QUÉ SERÍA DE MÍ DESPUÉS DE GRADUARME?
QUIZÁS TRABAJAR EN EL ICAIC PARA APRENDER EDICIÓN DE CINE.
NO UNA BURÓCRATA DE LAS ARTES. NADA ACADÉMICO. QUIERO HACER ARTE DE ALGUNA FORMA.
¿CÓMO PODRÍA VIVIR SIN CUBA, SIN MARTUGENIA?
SIEMPRE SERÉ UNA EXTRANJERA EN CUBA, PERO TAMBIÉN LO SOY EN LOS ESTADOS UNIDOS...
ESAS MUJERES EN NUEVA YORK, TAN LIBRES, PERO PARECÍAN TAN FRÍAS. NUNCA LLEGUÉ A DESCIFRAR SU LENGUAJE FÍSICO.
NO ENTENDÍA SUS CHISTES...
¿CÓMO VOY A SOPORTAR SER GAY DONDE ES UN CRIMEN... DESPUÉS DE LO VISTO EN NY?
¿Y CÓMO PUEDO VIVIR EN UN PAÍS CAPITALISTA AHORA? ENTRAR EN UN SUPERMERCADO ME PONE NERVIOSA... *¡¿25 TIPOS DE PASTA DE DIENTES?!*
¡QUÉ FELICIDAD! ¡CHIVIRICO DEBE ESTAR POR ALLÍ MISMO!
LLEGAMOS A LA COSTA DE CUBA Y DIMOS LA VUELTA POR EL EXTREMO SUDESTE DE LA ISLA. ALLÍ ESTABAN LAS GLORIOSAS MONTAÑAS DE LA SIERRA MAESTRA.

LLEGAMOS AL DÍA SIGUIENTE. SUDÉ LO NO VISTO MIENTRAS EL OFICIAL DE ADUANA SE INSTALABA EN MI CAMAROTE. REVISÓ UNO POR UNO CADA OBJETO QUE LLEVABA EN MIS MALETAS Y CAJAS. CUBRIÓ MI LISTA DE TRES PÁGINAS CON SELLOS Y FINALMENTE PUDE ENTRAR AL PAÍS CON MI PRECIOSA CARGA.

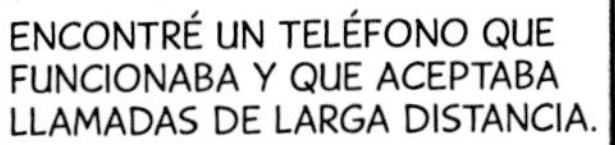
ENCONTRÉ UN TELÉFONO QUE FUNCIONABA Y QUE ACEPTABA LLAMADAS DE LARGA DISTANCIA.

Capítulo 7

El último barco

A MI REGRESO ENCONTRÉ CAMBIADA LA ATMÓSFERA DEL PAÍS. Y PARA MAYO 1970, LA COSECHA AZUCARERA DE DIEZ MILLONES DE TONELADAS RESULTÓ UN FRACASO, A PESAR DE LA MOVILIZACIÓN DEL PAÍS ENTERO, EXCLUYENDO PRÁCTICAMENTE TODA ACTIVIDAD, LAS NAVIDADES INCLUSO, ABOLIDAS POR FIDEL EL ANTERIOR DICIEMBRE.
ME PREGUNTO ¿QUÉ VA A PASAR AQUÍ?
TÚ VERÁS. LOS BOLOS SE IMPONDRÁN MÁS QUE NUNCA. SERÁ COMO LA UNIÓN SOVIÉTICA.
ESO ES UNA MIERDA. NO PUEDE PASAR AQUÍ.
¿QUIERES APOSTAR?
ME QUEDA UN AÑO MÁS DE CLASES Y LUEGO LA TESIS. NECESITARÉ UN TRABAJO PRONTO.
¿DÓNDE VAS A BUSCARLO?
QUISIERA APRENDER A SER EDITORA DE CINE. BUSCARÉ UNA ENTREVISTA EN EL ICAIC.
¡BIEN! OK, ME DICES MÁS TARDE. BOLA VA A EMPEZAR.
DAN MITRIONE
LA VIDA EN MI CUEVA SE MEJORÓ NOTABLEMENTE CON EL BENDITO REFRIGERADOR, PERO EN MI AUSENCIA GOYO Y JUAN SE HABÍAN PELEADO. JUAN VINO MENOS Y GOYO SE REFUGIÓ EN UNA MELANCOLÍA SOLITARIA EN SANTA FE. EDDY, EL PRIMO DE HERNÁN, LLENÓ EL VACÍO.
MLN
¡QUÉ LES PARECE! ÁNGEL LUIS ME INVITA A UNA RECEPCIÓN EN LA EMBAJADA NORCOREANA, PARA IR COMO SU NOVIA. ES TAN PERVERSO.
¡BUENÍSIMO! TRAE COSITAS RICAS SI ES QUE SE PUEDEN COMER!
LOS MEDIOS MASIVOS SE LLENARON DE ALABANZAS HACIA LOS GUERRILLEROS TUPAMAROS EN URUGUAY. HABÍAN SECUESTRADO A DAN MITRIONE, UN AGENTE DEL FBI, SUPUESTAMENTE ENVIADO A BRASIL Y URUGUAY COMO INSTRUCTOR DE TÉCNICAS DE CONTRAINSURGENCIA Y METODOLOGÍA DE LA TORTURA. FUE ENCONTRADO MUERTO EN SU CARRO EN MONTEVIDEO EL ONCE DE AGOSTO.

ÁNGEL LUIS TRABAJABA COMO TRADUCTOR EN UNA EDITORIAL ESTATAL. UN DÍA LE ASIGNARON TRABAJAR CON UN EDITOR NOR-COREANO LLEGADO PARA TRADU-CIR LAS OBRAS COMPLETAS DE KIM IL SUNG, UNA LABOR TEDIOSÍSIMA. EL TRADUCTOR COREANO TRADU-CIRÍA DESDE SU LENGUA EN UN ESPAÑOL DEFICIENTE Y ÁNGEL LUIS LO TRANSFORMARÍA A UN ESPAÑOL ACEPTABLE.
COMANDANTE EN JEFE ¡ORDENE!
ÁNGEL LUIS, VAS A TRABAJAR CON EL COMPAÑERO RI POR UN AÑO. *¡CONFÍO EN QUE TU TRABAJO SERÁ UN ÉXITO!*
EL PROYECTO NO PUDO SER MÁS ABURRIDO. ÁNGEL LUIS BUSCÓ UNA FORMA DE ENTRETENERSE DURANTE ESTE MARTIRIO.
VOY A TRATAR DE SEDUCIR AL CAMARADA RI ANTES DE TERMINAR LA TRADUCCIÓN DE TODOS LOS TOMOS. SERÁ MI RETO MÁS DIFÍCIL HASTA AHORA.
MMM!! ¡TENDRÁS QUE CONTÁRNOSLO TODO!
TIENES UNAS MANOS TAN HERMOSAS. ¿TE LO HAN DICHO?
¿TIENES NOVIA? CUÉNTAME DEL SEXO EN COREA.
¡ALABAO, RI, TREMENDO EQUIPO TIENES...!
NO ME HA DENUNCIADO HASTA AHORA... ESTÁ COMPLETAMENTE EXCITADO Y NO TIENE IDEA DE DÓNDE METERSE.
BUENO, SI ALGUIEN PUEDE TUMBARLO, SERÁS TÚ. ¿NO TE TEMPLASTE AL DELEGADO DEL KOMSOMOL SOVIÉTICO?

LOS NORCOREANOS ESTABAN SATISFECHOS CON EL TRABAJO DE ÁNGEL LUIS. LO INVITARON A NUMEROSAS RECEPCIONES EN LA EMBAJADA Y YO IBA COMO SU ACOMPAÑANTE.

LA GRAN ENTREVISTA TUVO LUGAR EN EL EDIFICIO DEL ICAIC, EN LA ESQUINA DE 12 Y 23. ALLÍ YO HABÍA VISTO CADA PELÍCULA DE EISENSTEIN Y TODAS LAS DEMÁS DE LA VANGUARDIA SOVIÉTICA, QUE EL ICAIC HABÍA OFRECIDO AL PÚBLICO.

MI PROPUESTA DE TESIS FUE APROBADA. JOSÉ ANTONIO PORTUONDO FUE DESIGNADO PARA ENCABEZAR EL JURADO, COMPUESTO POR MIRTA AGUIRRE, ISABEL MONAL Y LA DIRECTORA, VICENTINA ANTUÑA. LA FECHA ASIGNADA SERÍA EN ENERO 1972.

"...YO HE COMETIDO MUCHÍSIMOS ERRORES, ERRORES REALMENTE IMPERDONABLES [...]. YO, BAJO EL DISFRAZ DEL ESCRITOR REBELDE, LO ÚNICO QUE HACÍA ERA OCULTAR MI DESAFECTO A LA REVOLUCIÓN [...]. YO HE DIFAMADO, HE INJURIADO LA REVOLUCIÓN, CON CUBANOS Y CON EXTRANJEROS. YO HE LLEGADO SUMAMENTE LEJOS EN MIS ERRORES, EN MIS ACTIVIDADES CONTRARREVOLUCIONARIAS [...]. EN EL AÑO 1966, CUANDO YO REGRESÉ DE EUROPA A CUBA [...] LO PRIMERO QUE HICE FUE DEFENDER A GUILLERMITO, QUE ES UN AGENTE DECLARADO, UN ENEMIGO DECLARADO DE LA REVOLUCIÓN, UN AGENTE DE LA CIA [...] YO SÉ [...] QUE ESTA INTERVENCIÓN DE ESTA NOCHE ES UNA GENEROSIDAD DE LA REVOLUCIÓN, QUE YO ESTA INTERVENCIÓN NO ME LA MERECÍA, QUE YO NO MERECÍA ESTAR LIBRE..."

22 DE MARZO, 1971— EL POETA HEBERTO PADILLA FUE ARRESTADO Y ENCARCELADO. EL 27 DE ABRIL, DE PRONTO REAPARECIÓ EN UNA PUESTA EN ESCENA –PRESIDIDA POR J.A. PORTUONDO- EN LA SEDE DE LA UNEAC. PREPARADA POR EL MINISTERIO DEL INTERIOR, LA AUTOCRÍTICA DE PADILLA Y LA EVIDENCIA DE SU MANIPULACIÓN ATRAJO SOBRE LA REVOLUCIÓN UNA SEVERA CRÍTICA INTERNACIONAL. UNA INQUIETANTE SOMBRA CAYÓ SOBRE EL MUNDO CULTURAL DE LA HABANA.

¿TE ACUERDAS DE AQUEL AMERICANO QUE ESTUVO AQUÍ EL AÑO PASADO Y HABLAMOS DE EISENSTEIN? ÉL ENCABEZA TRI-CONTINENTAL FILMS Y DISTRIBUYEN DOCUMENTALES IZQUIERDISTAS. ME OFRECIÓ UN TRABAJO SI REGRESABA A LOS ESTADOS UNIDOS... QUIZÁS LAS DOS PUDIÉRAMOS TENER UN FUTURO ALLÁ.

LA APARICIÓN DE PADILLA OCURRIÓ EN LA MISMA SEMANA EN QUE SE DESARROLLÓ EN LA HABANA, DE ABRIL 23 AL 30, 1971, "EL PRIMER CONGRESO NACIONAL DE EDUCACIÓN Y CULTURA". AQUÍ FUERON TRAZADOS LOS "PARÁMETROS" ACTUALES DE LA POLÍTICA CULTURAL Y EDUCACIONAL DE LA REVOLUCIÓN.

MODAS: [...] ES NECESARIO EL ENFRENTAMIENTO DIRECTO PARA LA ELIMINACIÓN DE LAS ABERRACIONES EXTRAVAGANTES.

RELIGIÓN: [...] COMO SECTAS ENFRENTADAS A LA REVOLUCIÓN SE IDENTIFICARON LOS TESTIGOS DE JEHOVÁ [...] LOS ADVENTISTAS DEL SÉPTIMO DÍA. A LAS "SECTAS OSCURANTISTAS Y CONTRARREVOLUCIONARIAS", SE LES DEBE COMBATIR.

DELINCUENCIA JUVENIL: [...] TIENEN PAPEL IMPORTANTE [...] LOS PROBLEMAS RELIGIOSOS, [...] LAS SECTAS "PROCEDENTES DEL CONTINENTE AFRICANO (ÑÁÑIGAS O ABAKUÁ)".

SEXUALIDAD: [...] DE PARTICULAR INTERÉS ES LA ATENCIÓN DEDICADA AL HOMOSEXUALISMO [...] LOS HOMOSEXUALES EN LOS ORGANISMOS CULTURALES SON UN "PROBLEMA" [...] LOS HOMOSEXUALES NO DEBEN TENER RELACIÓN DIRECTA EN LA FORMACIÓN DE LA JUVENTUD DESDE ACTIVIDADES ARTÍSTICAS O CULTURALES [...] NO DEBEN REPRESENTAR A LA REVOLUCIÓN EN EL EXTRANJERO".

BUENO, COMO DIJO SARTRE, SOMOS LOS JUDÍOS DE CUBA.

PAVÓN, SERGUERA, QUESADA Y LAS PURGAS CULTURALES DE 1971
EL CNC (CONSEJO NACIONAL DE CULTURA), MÁS TARDE RENOMBRADO MINISTERIO DE CULTURA, FUE PUESTO BAJO EL MANDO DEL TENIENTE LUIS PAVÓN, UN OFICIAL DEL EJÉRCITO Y EXDIRECTOR DE *VERDE OLIVO*, LA REVISTA OFICIAL DE LAS FUERZAS ARMADAS. PAVÓN Y SUS DOS ASOCIADOS, PAPITO SERGUERA Y ARMANDO QUESADA, CONDUJERON UNA CAMPAÑA FEROZ DE CENSURA Y REPRESIÓN CONTRA ORGANIZACIONES E INDIVIDUOS EN TODAS LAS ESFERAS DE LA CULTURA.
Teatro Nacional
(antes Cine Foxa)
NACIONAL DE GUIÑOL
EL COMANDANTE JORGE SERGUERA, ABOGADO Y MIEMBRO DEL EJÉRCITO REBELDE, JUGÓ EL PAPEL DE FISCAL EN LOS JUICIOS SUMARIOS DE 1959 Y DICTÓ DOCENAS DE EJECUCIONES. AHORA, COMO DIRIGENTE DEL ICTR, ESTABA AL MANDO DE TODAS LAS TRANSMISIONES DE RADIO Y TELEVISIÓN. PROHIBIÓ A LOS BEATLES Y A LA MÚSICA "IMPERIALISTA", Y DEPURÓ A CIENTOS DE EMPLEADOS, TODO SOSPECHOSO DE SER GAY O DE NO SEGUIR LA LÍNEA DEL PARTIDO.
ARMANDO QUESADA FUE EL OFICIAL QUE REINÓ SOBRE EL TEATRO. ASUMIÓ SU TAREA CON ÁNIMO PERVERSO. DISOLVIÓ GRUPOS DE TEATRO. UNO DE ELLOS EL TEATRO NACIONAL DE GUIÑOL DE LOS HERMANOS CAMEJO. LA GENTE DE TEATRO FUE CITADA, HUMILLADA, DESEMPLEADA Y MARGINADA. SE LE LLAMÓ "TORQUESADA", EN HONOR AL INQUISIDOR GENERAL DE LA INQUISICIÓN ESPAÑOLA.
LOS EXPULSADOS BAJO LA "PARAMETRACIÓN" RECIBIERON ÓRDENES DE TRABAJAR EN FÁBRICAS O GRANJAS, ELIMINADOS DE LA VIDA INTELECTUAL.
¡PIRULÍ! ¡PIRULÍ!

NUESTRO AMIGO EMILIO, DE LA ESCUELA DE LETRAS, FUE "PARAMETRADO" Y TRABAJÓ DURANTE AÑOS EN UNA FÁBRICA DE FÓSFOROS. MÁS TARDE, TUVO QUE VENDER DULCES EN LA CALLE. DESPUÉS DE VEINTICINCO AÑOS, FINALMENTE LE PERMITIERON TRABAJAR DE NUEVO COMO EDITOR.

SE HIZO EVIDENTE QUE NO HABÍA UN FUTURO AQUÍ PARA MÍ. NO TENÍA POSIBILIDADES DE TRABAJO Y SE ACERCABA EL DÍA DE LA DEFENSA DE MI TESIS. LA BECA PARA EL VERANO DEL '72 SEGUÍA FIRME.
¿QUÉ VAMOS A HACER? NO PUEDO SEGUIR ASÍ DESPUÉS DE GRADUARME.
¿CÓMO ES POSIBLE QUE PARA TI, SIENDO CUBANA, SEA INMORAL MARCHARTE DEL PAÍS Y PARA MÍ, NORTEAMERICANA, SEA PERFECTAMENTE LÍCITO? ¿CÓMO ES QUE NACER AQUÍ CAMBIA LA ÉTICA?
ME PREOCUPA MI MAMÁ. NO LA PODRÍA VOLVER A VER MÁS NUNCA...
SI TE VAS, ¿QUÉ SERÁ DE NOSOTRAS? QUIZÁS LA BECA ES LA ÚNICA SOLUCIÓN...
HAY QUE ESCOGER EL MOMENTO OPORTUNO.
SÍ, ME DEBO IR UN PAR DE MESES ANTES QUE TÚ, Y GESTIONAR MI SALIDA INMEDIATAMENTE AL GRADUARME.
ENTONCES, NOS ENCONTRAREMOS EN INGLATERRA, ¿PERO CON QUÉ RECURSOS? NO TENEMOS NADA.
UNA AMIGA DE INFANCIA DE MI MADRE, ANN HILB, VIVE EN LONDRES. SE ESCAPÓ DE ALEMANIA, SIENDO UNA JOVENCITA, EN EL ÚLTIMO BARCO A INGLATERRA. MI FAMILIA AYUDÓ A LA SUYA ANTES DE QUE LOS NAZIS LOS MATARAN A TODOS. ANN NOS AYUDARÍA. ES CONFIABLE.
TENDRÉ QUE DESARMAR LA CUEVA.
TENEMOS QUE ARRIESGARNOS. ¿QUÉ REMEDIO?
¿LO HAREMOS?
¿Y SI ME NIEGAN LA BECA DESPUÉS DE QUE TE HAYAS IDO?
SÍ. HAY QUE HACERLO.
A MAMÁ NO LE PASARÁ NADA. TIENE A MI PAPÁ.
¿Y TODAVÍA PODREMOS SER REVOLUCIONARIAS?
SÍ, ES ALGO QUE NO NOS PODRÁN QUITAR.

CUANDO LLEGÓ EL DÍA DE LA DEFENSA DE MI TESIS, A PRINCIPIOS DE ENERO 1972, YA YO ESTABA BIEN PREPARADA. QUISE UN JURADO CONTENTO, PARA ELLO SACRIFIQUÉ PARTE DE MIS PRECIADAS DIVISAS EN LA TIENDA DIPLO Y COMPRÉ BIZCOCHOS. LLENÉ UN TERMO GRANDE CON CAFÉ DE LA DIPLO Y ENCARÉ A MIS JUECES DE LA ESCUELA DE LETRAS.

¡DOCTORES! BUENAS TARDES. DOCTOR, CUANDO USTED DIGA.
POR FAVOR, PROCEDE, CONNIE. TE ESCUCHAMOS.
HABLÉ DURANTE HORAS SOBRE SERGEI EISENSTEIN, ARGUMENTÉ CON SINCERIDAD QUE SU TÉCNICA Y FILOSOFÍA DE MONTAJE SE PODRÍA CONSIDERAR UNA FORMA SUPERIOR, MÁS SOFISTICADA DEL REALISMO SOCIALISTA, COMO UN REALISMO MULTIDIMENSIONAL CON CONCIENCIA SOCIAL.
AHORA, UNA PEQUEÑA PAUSA PARA UN CAFECITO. ¿GUSTAN?
¡MUY BIEN HECHO! ¡DEBES ESCRIBIRLO TODO PARA QUE SE PUBLIQUE!
EL JURADO QUEDÓ SATISFECHO CON EL CAFÉ, LOS BIZCOCHOS Y LA TESIS. AL FIN IBA A GRADUARME.

AL POCO TIEMPO ME ENTREGARON MI DIPLOMA EN PERGAMINO Y AL DÍA SIGUIENTE PRESENTÉ EN INMIGRACIÓN LOS PAPELES PARA MI SALIDA. EL PAPELEO DURÓ UNA ETERNIDAD, FUE DIFÍCIL ENCONTRAR UN BARCO ACCESIBLE QUE COINCIDIERA CON EL TIEMPO DEL PERMISO DE SALIDA, PERO AL FIN, VENCÍ TODAS LAS DIFICULTADES Y COMPRÉ UN BOLETO EN LA LÍNEA SOVIÉTICA MAR NEGRO.

A LOS POCOS DÍAS...
¡BIEN! AHORA TENEMOS QUE VER CÓMO SACAMOS EL REFRIGERADOR RÁPIDO Y LO LLEVAMOS A CASA DE MARTUGENIA.
¡UFF!!! ¡VAYA! CREO QUE TERMINAMOS. CONOZCO UN TIPO, QUE SI LE PAGAS, TRAE EL CAMIÓN DE SU TRABAJO A RECOGER LAS CAJAS.
EL HOMBRE DEL CDR VINO AYER Y DIJO QUE VAN A CONGELAR TODOS LOS MUEBLES Y EFECTOS ELÉCTRICOS QUE NO VIAJEN CONMIGO.
VAMOS A ENVOLVERLO COMO SI FUERA CONTIGO EN EL BARCO, PERO LO DEJAMOS EN LA CALLE ÁNIMAS POR EL CAMINO.
¡BUEN PLAN! ASÍ PODREMOS HACER CON LAS DEMÁS COSAS QUE VOY A REGALAR.

¡ÉXITO! CONSEGUIMOS UN VIEJO CAMIÓN, TODOS NOS ENCARAMAMOS, Y BAJAMOS LAS CAJAS EN LOS MUELLES POCOS DÍAS ANTES DE PARTIR EL BARCO.

A VER AHORA, ESTA CAJA. ¿QUÉ TIENE ALLÍ? HMM. LIBROS, REVISTAS, MÁS LIBROS...
BIEN, COMPAÑERA, TODO PARECE ESTAR EN ORDEN. SE LE VAN A SELLAR LAS CAJAS Y AQUÍ MISMO LAS ALMACENAREMOS HASTA SUBIRLAS A SU BARCO.

LLEGÓ LA HORA DE MUCHAS DESPEDIDAS, DE UNA FIESTA, Y CUANTIOSAS LÁGRIMAS.

SI EN VEZ DE SER ASÍ,
SI LAS COSAS DE ESPALDAS (FIJAS
DESDE LOS SIGLOS)
SE VOLVIESEN DE FRENTE
Y LAS COSAS DE FRENTE (INMUTABLES)
VOLVIESEN LAS ESPALDAS,
Y LO DIESTRO VINIESE A SER SINIESTRO
Y LO IZQUIERDO DERECHO...
NO SÉ CÓMO DECIRLO!

TENGO MUCHO MIEDO.
YO TAMBIÉN. PERO NOS ENCONTRAREMOS EN LONDRES Y MI AMIGA ANN NOS AYUDARÁ. TÚ TIENES SU DIRECCIÓN Y TELÉFONO.
NOS VAMOS EN CUANTO GOYO LLEGUE.
ACUÉRDATE... NI UNA PALABRA A NADIE.

OK, NOS VAMOS. CUANDO LLEGUEMOS ES MEJOR QUE NO ENTREMOS CONTIGO. NOS DESPEDIMOS AFUERA DEL EDIFICIO.
TAXI

ADUANA
¡ADIÓS, AMORES! LOS QUIERO TANTO.

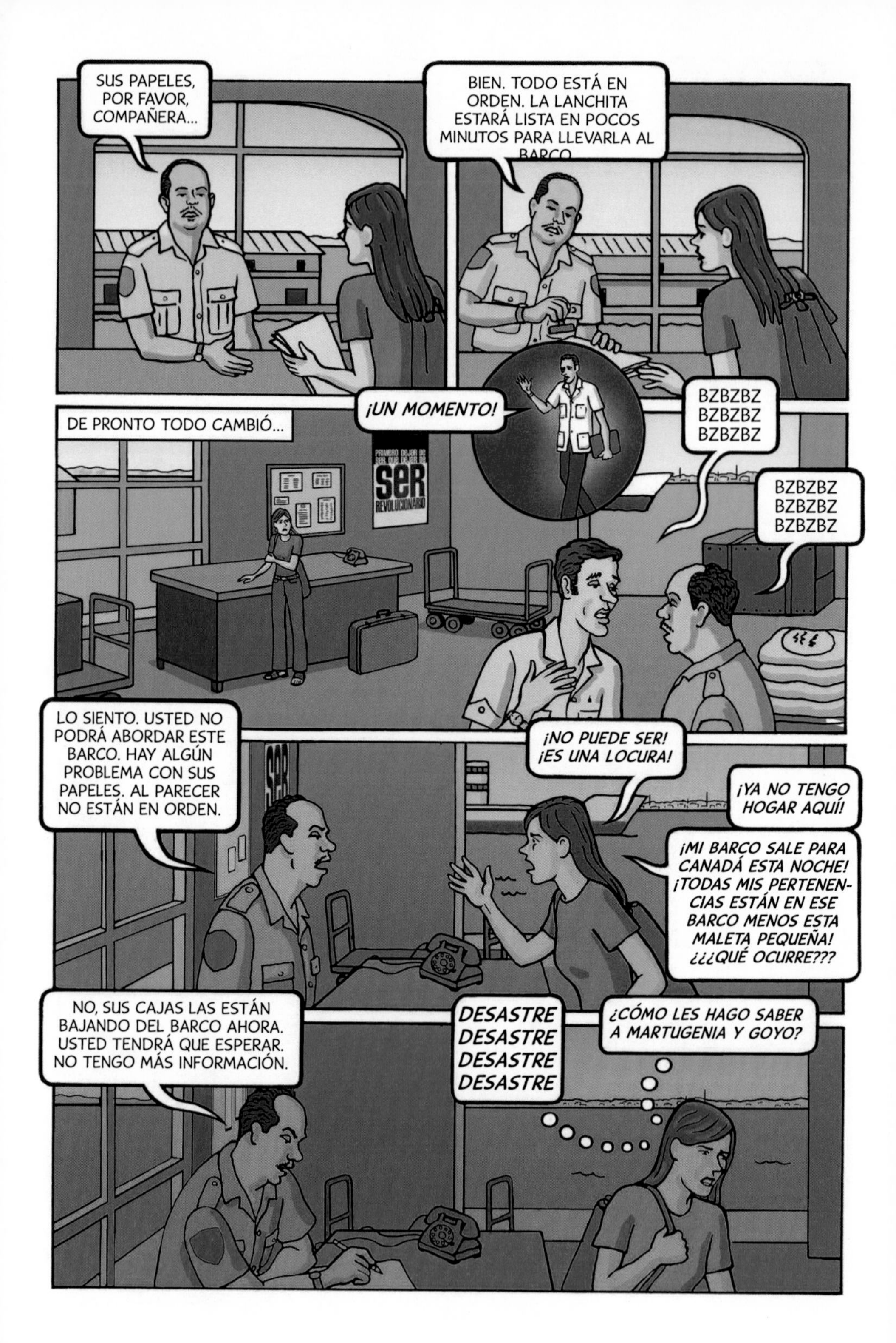
SUS PAPELES, POR FAVOR, COMPAÑERA...
BIEN. TODO ESTÁ EN ORDEN. LA LANCHITA ESTARÁ LISTA EN POCOS MINUTOS PARA LLEVARLA AL BARCO.
DE PRONTO TODO CAMBIÓ...
¡UN MOMENTO!
PRIMERO DEJAR DE SER QUE DEJAR DE SER REVOLUCIONARIO
BZBZBZ BZBZBZ BZBZBZ
BZBZBZ BZBZBZ BZBZBZ
LO SIENTO. USTED NO PODRÁ ABORDAR ESTE BARCO. HAY ALGÚN PROBLEMA CON SUS PAPELES. AL PARECER NO ESTÁN EN ORDEN.
¡NO PUEDE SER! ¡ES UNA LOCURA!
¡YA NO TENGO HOGAR AQUÍ!
¡MI BARCO SALE PARA CANADÁ ESTA NOCHE! ¡TODAS MIS PERTENENCIAS ESTÁN EN ESE BARCO MENOS ESTA MALETA PEQUEÑA! ¿¿¿QUÉ OCURRE???
NO, SUS CAJAS LAS ESTÁN BAJANDO DEL BARCO AHORA. USTED TENDRÁ QUE ESPERAR. NO TENGO MÁS INFORMACIÓN.
DESASTRE DESASTRE DESASTRE DESASTRE
¿CÓMO LES HAGO SABER A MARTUGENIA Y GOYO?

OTRO HOMBRE APARECIÓ...
HOLA, COMPAÑERA, SOY FERNANDO, DE RELACIONES EXTERIORES. ME HAN ENCOMENDADO LLEVARLA AL HOTEL RIVIERA. NO SÉ CUÁL ES EL PROBLEMA. ESTOY SEGURO DE QUE TODO SE ARREGLARÁ. MIENTRAS TANTO, VENGA CONMIGO, POR FAVOR. LE LLEVARÉ SU MALETA.
Terminal Sierra Maestra
San Francisco
¡NO ME DEJAN SALIR! ¡ESTARÉ EN EL RIVIERA!

HORRORIZADA, ME INSTALARON EN EL OTRORA LUJOSO HOTEL RIVIERA, EN UNA HABITACIÓN CON UNA MAGNÍFICA VISTA DEL MAR.

¡PAGUÉ POR MI PASAJE EN ESE BARCO! ¡ME TIENE QUE SACAR PASAJE EN EL PRÓXIMO BARCO ACCESIBLE! ¡ESTO ES UN ULTRAJE!
NO SÉ NADA DEL ASUNTO. LE VAN A NOTIFICAR. MIENTRAS TANTO PUEDE FIRMAR POR TODAS SUS COMIDAS Y EL DEPARTAMENTO DE RELACIONES EXTERIORES DE LA UNIVERSIDAD CUBRIRÁ TODO.
Habana Riviera
ADIÓS, COMPAÑERA.
AY, DIOS, ¡OJALÁ ME ESTÉN ESPERANDO AFUERA!

ESPERAMOS CON LOS DIENTES APRETADOS, ERIZADAS, ENCERRADAS EN ÁNIMAS. PASÉ EL MÍNIMO TIEMPO EN EL HOTEL. DESPUÉS DE TODAS LAS DESPEDIDAS NO QUERÍA VER A MÁS NADIE.

ME ENCERRÉ EN EL HOTEL. LOS DÍAS SE VOLVIERON SEMANAS Y LUEGO EN MESES. COGÍ SOL EN EL TECHO DEL BALNEARIO, JUNTO CON LAS TURISTAS Y LAS BAILARINAS DE CABARET QUE RECIBÍAN SUS TRATAMIENTOS DE BELLEZA ALLÍ.

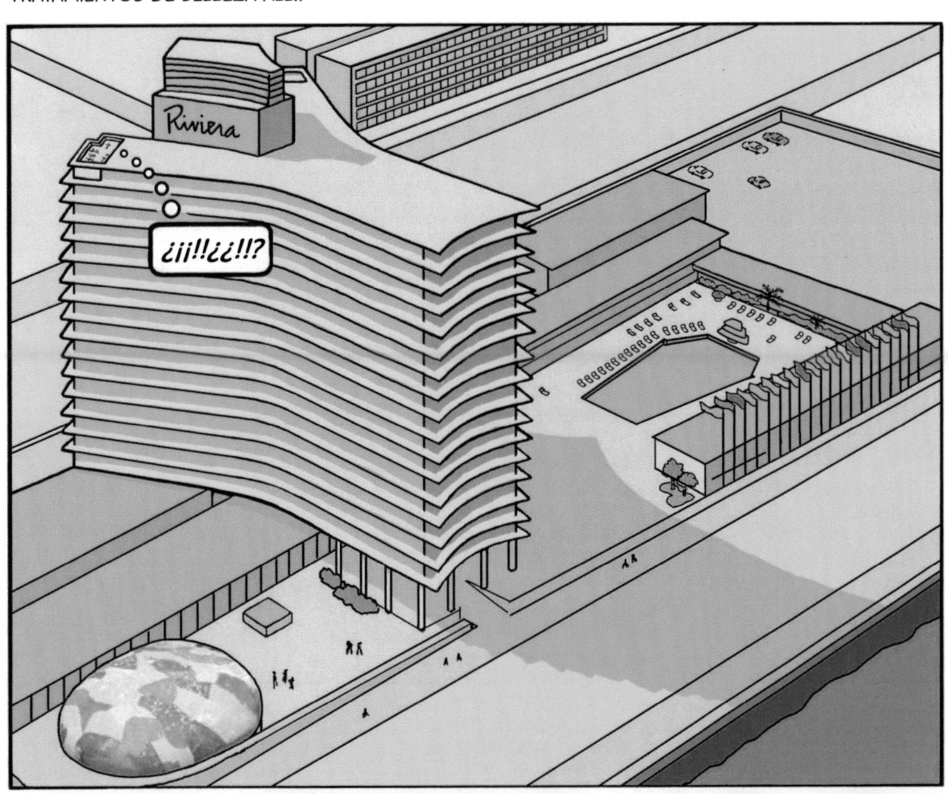

FINALMENTE SE ACABÓ EL TIEMPO. YO SIN PAPELES, SIN BARCO...; MARTUGENIA DE REGRESO A CASA.
TU DEBER
¡YO SABÍA QUE IBAS A REGRESAR!

A LOS TRES DÍAS, LLAMARON DEL DEPARTAMENTO DE RELACIONES EXTERIORES DE LA UNIVERSIDAD. DEBÍA PREPARARME. MIS PAPELES FUERON APROBADOS Y HABÍA UN BARCO DISPONIBLE. ME LLEVARÍAN A LOS MUELLES A LA MAÑANA SIGUIENTE.

CORRÍ PARA ÁNIMAS. NO ME ATREVÍ A USAR EL TELÉFONO.

ME MONTAN EN UN BARCO MAÑANA.
970
¿QUÉ PODEMOS HACER?
NADA. NOS HAN ATRAPADO. NO HAY SALIDA .
SI NO LO PUEDO SOPORTAR Y TE LO DIGO, VOLVERÁS?
SI PUEDO...

REGRESÉ AL HOTEL AL AMANECER Y DE NUEVO NOS REUNIMOS EN LOS MUELLES, AHORA CON ÁNGEL LUIS PARA ENCUBRIR. NO HUBO DEMORA. PERMITIERON A ÁNGEL LUIS QUE ME ACOMPAÑARA EN LA LANCHITA QUE ME LLEVÓ AL LUIS BERGNES, ANCLADO EN MEDIO DE LA BAHÍA.

DE ALGUNA FORMA... ALGÚN DÍA...
ADIÓS, MI RATA MARINA...

¡ADIÓS, GRINGA!

¡ADIÓS, MI HABANA..!
EL BARCO SE DESLIZÓ ENTRE EL CASTILLO DE SAN SALVADOR DE LA PUNTA Y EL CASTILLO DE LOS TRES REYES DEL MORRO. CONCLUIDA MI JUVENTUD, ME DIRIGÍ HACIA EL NORTE.

Fin

Epílogo

Me costó años procesar lo que había pasado. ¿Por qué las autoridades cubanas se tomaron el trabajo de retenerme e instalarme en un hotel hasta que Martugenia regresara de Inglaterra aquel verano de 1972? ¿Por qué tanta atención sobre una estudiante extranjera sin importancia y sobre una instructora universitaria cubana? Lentamente se me quedó claro que solo había una persona deseosa de asegurar el regreso de Martugenia y que me consideraba una amenaza, Romelia, su madre. Ella no podía entender el inglés que hablábamos mientras sigilosamente planeábamos nuestro encuentro en Inglaterra, pero se mantenía alerta mientras Martugenia iba extrayendo sus posesiones más queridas, sus libros, y los trasladaba a mi pequeño cuarto en Nuevo Vedado. Romelia, como presidenta local de su Comité de Defensa de la Revolución, estaba muy bien preparada en las artes de la vigilancia y tenía contactos con oficiales en puestos altos de las oficinas seccionales de los CDR de Centro Habana. Una petición suya era suficiente para que se retuviera mi viaje. Años más tarde, durante una visita mía a La Habana, alrededor del 2000, me hizo una ofrenda: un poema donde se disculpaba por haberme juzgado como una mala influencia sobre su hija.

Martugenia continuó enseñando en la Universidad de La Habana. Se hizo especialista en Shakespeare, una profesora de literatura inglesa, popular y a veces polémica. Nos mantuvimos al tanto de nuestras vidas a larga distancia, divididas por la Guerra Fría cubano-americana. Por más de 40 años, alimentamos una cálida amistad y una nutrida correspondencia, mediante viajeros, o a veces por el poco confiable correo postal. Se marchó a México en 1990, donde conoció a la pareja con quien vivió hasta su muerte, de cáncer pulmonar y enfisema avanzados, en septiembre de 2015.

Yo me asenté en la ciudad de Nueva York en 1972, después de unos meses tensos con mis padres y mis hermanos en Croton-on-Hudson. Mi título en historia del arte de la Universidad de La Habana no me sirvió de nada en aquellos tiempos. Conseguí trabajo en una clínica de salud para mujeres por un año, mientras de noche estudiaba arte comercial en el Parson's School of Design, luego un trabajo en una firma de publicidad en su departamento de producción gráfica, y más tarde de diseñadora e ilustradora de libros por cuenta propia por el resto de mis años laborales.

Mi madre Lenore y mi padrastro Ted, a su regreso a los EE. UU., se afiliaron de nuevo en el Partido Comunista norteamericano y rápidamente se olvidaron del despido ignominioso de Ted en La Habana. Ted encontró empleo como ingeniero electrónico en el Hospital Mount Sinai en Manhattan, a través de contactos de sus días de estudiante en Swarthmore. Se retiró a los diez años, se mudó con Lenore a California, donde vivieron con una pensión muy generosa por más de 30 años. A pesar de la vida cómoda que allí tuvieron, sintieron una aguda amargura porque el campo socialista se hubiera derrumbado en lugar del capitalismo americano. Pero, como veterano de la Brigada Abraham Lincoln de la Guerra Civil Española, Ted mantuvo alzado su puño, desafiante hasta su final en 2008.

Kevin y Nikki asistieron a la escuela en Croton-on-Hudson. Adaptarse a los Estados Unidos después de la vida en Cuba fue especialmente complicado para Nikki, no tanto para nuestro hermano Kevin, un joven plácido y de carácter sociable. Al terminar el preuniversitario, Kevin se fue para California, trabajó mientras asistía a una universidad, se hizo abogado, y terminó por ser director de una compañía que fabrica piezas para motocicletas. Vive y prospera en California con su esposa y sus bellos gemelos.

Después del preuniversitario, donde tuvo experiencias terroríficas con el LSD, y donde desarrolló una desavenencia terrible con nuestra madre, Nikki batalló y venció la resistencia feroz de nuestros padres para poder asistir al MIT como estudiante de ingeniería mecánica. Mientras estudiaba allí para su maestría, cometió suicidio a la edad de 28 años, con el corazón roto por un romance torturante y dañino.

Maritza, mi pareja en el preuniversitario, se hizo dibujante mecánico en una fábrica y vivió el resto de su vida en su pequeño apartamento detrás del edificio que antes fue la vieja compañía de electricidad.

Goyo, más formalmente Pedro, murió de la misma forma que Martugenia, un año más tarde, pero en San Sebastián, España. Juan prosigue su vida en La Habana.

Mónica, Bruno, su pareja, y todo el grupo, se fueron del país, exiliados, como tantos gays, perseguidos despiadadamente por cometer el pecado de no ajustarse a las normas sociales exigidas a todo ciudadano revolucionario en aquellos tiempos.

Mi amor por Cuba, por mis amigos allá, por la belleza desconsolada de La Habana, nunca vaciló, a pesar del deterioro implacable de la ciudad y de la creciente desilusión en los años siguientes. Tuve la suerte de encontrar una nueva vida en Nueva York, donde he vivido más de treinta años con mi pareja, Stacy, y numerosos gatos lánguidos. Nuestra amada hija, Sophia, nos visita con frecuencia.

NOTAS

Capítulo 1

p. 23 Panel 3: Portada del *The Daily Worker,* abril 28, 1937.

p. 25 Panel 2: Montaje de personalidades de la Guerra Fría: el director del FBI, J.E. Hoover, el senador Joseph McCarthy, el presidente Mao Zedong, y Ethel y Julius Rosenberg.

p. 30 Panel 2: Artículo "Powell Trial Opens-Aid to Reds in Magazine Charged", *San Francisco Chronicle,* enero 27, 1959.

p. 31 Panel 2: Dibujos de personalidades revolucionarias en la prensa mundial: Fidel Castro con Hubert Matthews, periodista del *New York Times,* Raúl y Fidel Castro, Che Guevara, Camilo Cienfuegos.

p. 33 Panel 1: "Battle of City Hall," portada del *San Francisco Chronicle,* mayo 14, 1960.
Panel 6: Fragmento de la portada del *The Huntsville Times,* miércoles, abril 12, 1961.

p. 39 Reproducción de la carátula de una "libreta de abastecimientos".

p. 40 Montaje de las personalidades y grupos en el poder en enero 1959:
–El PSP-*El Partido Socialista Popular,* (el Partido Comunista Cubano pre-1959).
–*El Directorio Estudiantil* (la organización revolucionaria urbana de estudiantes universitarios).
–M-26-7, *El Movimiento 26 de Julio*, las fuerzas guerrilleras de Fidel Castro, la que realmente ejercía el poder.

p. 42/43 Fragmentos del discurso de Fidel Castro, primero de mayo de 1962, en la Plaza de la Revolución.

p. 44 Panel 2: Reproducción de *La Última Cena* de Leonardo da Vinci.

p. 45 Panel 1: Dibujo de un fotograma de *Tiempos Modernos,* 1936, de Charlie Chaplin.
Panel 5: Dibujo de un fotograma de *Tiempos Modernos,* 1936, de Charlie Chaplin.

p. 46 Panel 8: Portada del *The Well of Loneliness* de Radcliffe Hall, 1928, de una edición *pulp,* de los años 1950.

p. 53 Panel 2: Dibujo de la base de cohetes San Cristóbal, basado en una foto aérea captada en octubre 23, 1962 por un avión de reconocimientos de los EE. UU.

p. 54 Panel 1: Affiche, "Muerte al Invasor", publicado por el MINFAR (Ministerio de las Fuerzas Armadas Revolucionarias), como parte de una serie de 1960.
Panel 2: Adlai Stevenson en el Consejo de Seguridad de la ONU, octubre 25, 1962.
Panel 2: Intercalado artículo del *New York Daily News,* "We blockade Cuba Arms", octubre 23, 1962.

p. 56 Panel 1: Intercalado un artículo de Philip Graham, en la portada del *Washington Times,* octubre 29, 1962.

p. 61 Panel 4: *Materialismo Histórico, la Comprensión Materialista* de la Historia (Dirección de Educación General, La Habana, 1962). Fragmentos de los capítulos IV-VII del *Manual de Marxismo-Leninismo* de Otto Kuusinen y otros.
Panel 5: *Materialismo Dialéctico, Fundamentos Filosóficos de la Concepción Marxista-Leninista del Mundo* (Dirección de Educación General, La Habana, 1962). Fragmentos de los capítulos I-III del *Manual de Marxismo-Leninismo* de Otto Kuusinen y otros.

p. 63 Juicio de Marcos Rodríguez, "Marquitos".

p. 73 Caras de dos postales soviéticas enviados en octubre 1964 desde Moscú a La Habana.

p. 78 Dibujo de un fotograma de *Iván el Terrible* de Sergei Eisenstein.

p. 79 Montaje de Che Guevara basado en fotos de la prensa mundial de la época: A la derecha, dos citas de Ernesto Guevara, *El socialismo y el hombre en Cuba*. A la izquierda, cita del discurso de Che Guevara en Argelia, febrero 24, 1965.

p. 82 Dibujo de una foto de prensa de un grupo de extranjeros en la Escuela de Letras, publicada en un periódico local, verano de 1965.

p. 83 Dibujo de un fotograma de la película francesa *Vivre sa vie,* dirigida por Jean-Luc Goddard, 1962.

p. 84 Primera página de la revista *Mella,* Nº 326, mayo 31, 1965.

p. 85 Cinco fragmentos del artículo "La gran batalla del estudiantado", revista *Mella,* Nº 326, mayo 31, 1965, pp. 2 y 3. Firmado por la UJC (Unión de Jóvenes Comunistas) y la UES (Unión de Estudiantes Secundarios).

p. 86 Caricaturas: "El flautista de Hamlin" de Luis Wilson Varela y, "No sé que tiene de malo esa gente" de Arístide Pumariega, revista *Mella,* Nº 326, mayo 31, 1965, p. 4.

p. 87 Panel 6: "Vida y Milagros de Florito Volandero", y página completa, de Virgilio Martínez, revista *Mella,* Nº 325, mayo 24, 1965 pp. 20 y 21, respectivamente.

p. 88 Panel 1: Affiche "Alerta", de Jesús Forjans, publicado por la Comisión de Orientación Revolucionaria, 1962.
Paneles: 2, 3, 4, 5 - Fragmentos del affiche "26 de Julio Fidel Castro", 1959.
Panel 2: Carátula del album *The Times they are a-changin* de Bob Dylan.

p. 89-90 Estas anécdotas se basan en José Mario [Rodríguez] en "Allen Ginsberg en La Habana", *Mundo Nuevo*, Nº 34, abril, 1969, París, pp. 48-54.

p. 90 Esta cita de Fidel Castro donde éste ataca a *El Puente,* en la Plaza Cadenas de la Universidad de La Habana, en José Mario, ídem.

p. 91 "Nuestra Opinión", editorial, en *Alma Mater,* Nº 49, junio 5, 1965, p. 2.
Montaje de imágenes de la guerra en Vietnam, incluye cinco sellos postales vietnamitas, y dibujos basados en fotos de la prensa de la época.

p. 92 Fragmentos del discurso de Fidel Castro en la Escalinata de la Universidad de La Habana, marzo 13, 1963.

p. 93 Fragmento del affiche "1° de Mayo todos con Fidel a la Plaza de la Revolución", publicado por la CTC, la Confederación de Trabajadores de Cuba, 1965.

p. 95 Panel 1: Fragmento de "Las caperucitas se cosechan en primavera" de Virgilio Martínez, revista *Mella,* junio ?, 1965, p. 20.
Panel 2: Fragmento de "Hay que hervirlos" por Virgilio Martínez, *Mella,* junio 7, 1965, p. 20.

p. 97 Fragmento del artículo "UMAP: Forja de ciudadanos", *El Mundo,* abril 14, 1966.
El bosquejo en el cuadrante izquierda superior está basado en un dibujo hecho por un prisionero de la UMAP, tomado del documental *Conducta Impropia,* 1984, dirigido por Néstor Almendros y Orlando Jiménez Leal.

p. 98 Panel superior: montaje de participantes en la Conferencia Tricontinental celebrada en enero 1966, más el nacimiento de *Granma,* órgano oficial del Partido Comunista: *Hoy,* el periódico oficial del otrora Partido Comunista pre-1959 (*Partido Socialista Popular, PSP). Revolución*, el periódico oficial del Movimiento 26 de Julio. *Granma,* lanzado el 3 y 4 de 1965, a partir de la constitución del Partido Comunista de Cuba, nuevo órgano oficial del gobierno mediante la fusión de *Hoy* y *Revolución*. El periódico *El Mundo* fue nacionalizado y absorbido.

p. 99 Panel 1: Montaje de fragmentos de tres affiches para la Conferencia Tricontinantal: *OSPAAAL-Vietnam VENCERA, OSPAAAL-LAOS, OSPAAAL-Jornada de Solidaridad con ANGOLA*, Fragmento de un sello conmemorativo de la Tricontinental. Citas del primer párrafo y la consigna final del discurso de Fidel Castro en la clausura de la Conferencia Tricontinental, enero 15, 1966.

p. 100 Affiche "Comandante en Jefe ordene", OCLAE, 1966.

p. 101 "Carta de Pablo Neruda a los cubanos" en *Politica,* revista mexicana, agosto 15, 1966.

p. 102 "Pucho" de Virgilio Martínez, *Mella,* octubre 4, 1965.

Capítulo 3

Este capítulo está basado en el detallado informe de campaña de Marta Eugenia Rodríguez, Martugenia, conservado por ella y amablemente aportado a este proyecto; mis propias notas de campaña; más fotos y memorias mías del viaje. A todos se nos encomendó escribir informes detallados que entregamos a nuestro retorno.

p. 106 La primera alocución de Carlos Amat en "Sociología e Investigación social, Cuba: un laboratorio para la investigación social", *Universidad de La Habana,* abril-junio, 1968, Año XXXII Nº 190, p. 90.

p. 107 Fragmentos de cinco affiches publicados por el Consejo Nacional de Cultura:
Panel 1: "Las Preciosas Ridículas de Moliere", Teatro Nacional de Guiñol. "Las cebollas mágicas", Elenco Nacional de Guiñol, 1963.
Paneles 2-3: "El canto de la cigarra", sobre el cuento de Onelio Jorge Cardoso, Teatro Nacional de Guiñol, 1963.
Panel 4: "La Caperucita Roja", versión de Modesto Centeno, Teatro Nacional de Guiñol, 1964. "El Maleficio de la mariposa" de Federico García Lorca, Teatro Nacional de Guiñol, 1963.
Panel 5: Fragmento de una copia de *Noche estrellada* de Vincent van Gogh.

p. 108 Carlos Amat en "Sociología e Investigación social, I, Cuba: un laboratorio para la investigación social" en *Universidad de La Habana*, abril-junio, 1968, Año XXXII, Nº 190, p. 70.

p. 113 "Dame la mano y danzaremos" fragmento del poema "Dame la mano" de Gabriela Mistral, musicalizado y cantado frecuentemente por Teresita Fernández en *El Coctel* y otros locales nocturnos en La Habana en los años 1960.

p. 117 "El sol, el sol quisiéramos que usted con su calor...", cita de la obra teatral *La Margarita Blanca* del dramaturgo Luis Interián, quien escribió materiales para el Guiñol Nacional y otras compañías de teatro infantíl.

p. 122 "Hay golpes en la vida tan fuertes... yo no sé", del poema "Heraldos negros" de César Vallejo, 1918.
"Puedo escribir los versos más tristes esta noche", cita del poema "Poema XX" de Pablo Neruda, *Cien Sonetos de amor,* Santiago, Editorial Universitario, 1959.

p. 134 La exposición *Salón de Mayo* (30 de julio hasta agosto, 1967) fue celebrada en el Pabellón Cuba en La Rampa, y organizada por Carlos Franqui y Wifredo Lam. Previo a su apertura, cien pintores, caricaturistas, escultores, escritores y críticos, extranjeros y cubanos, crearon un mural colectivo, de 10 x 5.5 metros, para este evento. Enumero aquí algunos elementos de mi montaje del evento.

–Fragmento del mural colectivo.

–Fragmentos del catálogo de la Exposición *Salón de Mayo,* Edición de los talleres de *Granma.*

–Fragmentos de cuatro sellos postales cubanos que reproducen pinturas de participantes del Salón: Joan Miró, Serge Poliakoff, Roberto Matta, y René Magritte. Este catálogo puede verse en el sitio web "Cuba: archivo de Connie", www.annaillustration.com/archivodeconnie/salon-de-mayo-programa-y-sellos-conmemorativos-pabellon-cuba-1967/

–Carátula del disco *Orquesta cubana de música moderna,* con Chucho Valdés, Paquito de Rivera, Carlos Emilio Morales, Pucho Escalante, Oscar Valdés y Guillermo Barreto, 1967. Incluyo la imagen de este álbum por "Pastilla de menta", un número muy popular en1967, una memoria atesorada por muchos. Este grupo pronto fue marginado por ser demasiado "americano".

p. 137 Artículo "Despidió Fidel a los estudiantes universitarios que van al agro", *Granma,* agosto 5, 1967.

Capítulo 4

p. 148 Foto de una de las muchas citaciones emitidas por el "Juzgado Correccional Seccional Octava", situado entonces en la esquina de las calles Línea y M, El Vedado, La Habana.

p. 154 La frase de Carlos Amat: "ustedes dos me habrán engañado como a un chino", se refiere a la inmigración de los braceros chinos falsamente contratados como colonos en el siglo XIX, para en realidad ser utilizados prácticamente como mano de obra esclava.

Capítulo 5

p. 160 Panel azul: Basado en una foto en José Antonio Portuondo, "Significación del Congreso Cultural de La Habana", Revista *Universidad de La Habana,* Año XXXII, Nº 189, Instituto del Libro, La Habana, 1968, p. 16. Cita intercalada: Fragmento, Osvaldo Dorticós en "Discurso en la clausura del seminario preparatorio al Congreso Cultural de La Habana", *RC-Revolución y Cultura,* noviembre 30, 1967, año 1, Nº 3, Instituto del Libro, p. 16.

–Montaje de Che Guevara en Bolivia, basado en fotos de la prensa de la época.

p. 161 Informe sobre "la microfracción" de Raúl Castro al Comité Central del Partido Comunista, transmitido en la televisión nacional, junio 24, 1968. Referencia en este comunicado de Prensa Latina: www.radio36.com.uy/entrevistas/2004/02/250204_castro.htm

p. 164 "En Paz descansen cabarets, cabaretuchos y similares" en "Ofensiva-Suplemento especial", *Alma Mater,* marzo 1968, p. 4.

p. 165 Fragmentos de "En Paz descansen cabarets, cabaretuchos y similares", ídem.

p. 166 "Más Revolución", cartel reproducido en *Vida Universitaria,* año XIX, Nº 210, marzo/abril, 1968, publicación de la Universidad de La Habana, p. 3.

p. 169 Panel 1: Cita de Fidel Castro de su discurso sobre la invasión soviética a Checoslovaquia ante la televisión nacional, agosto 23, en *Granma,* agosto 24, 1968, primera página.

Panel 2: Montaje con imágenes de la prensa mundial sobre la invasión soviética a Checoslovaquia.

p. 170 Fragmentos del discurso de Fidel Castro sobre la "Operación Hippie", octubre 29, 1968, en el octavo aniversario de los Comités de Defensa de La Revolución.

p. 173 Fragmento de la portada de la revista *Verde Olivo,* (órgano oficial de las Fuerzas Armadas de la Revolución), noviembre 10, 1968.

–Fragmento de Leopoldo Ávila, "Las provocaciones de Padilla", en *Verde Olivo,* noviembre 10, 1968.

–Fragmento de Leopoldo Ávila, "Sobre algunas corrientes de la crítica y la literatura en Cuba", *Verde Olivo,* noviembre 24, 1968.
–Fragmento de Leopoldo Ávila, "El pueblo es el forjador, defensor y sostén de la cultura", *Verde Olivo,* diciembre 1, 1968, párrafo sexto.
–Portada de *Fuera del juego* de Heberto Padilla, UNEAC, 1968.
–Portada de *Los siete contra Tebas* de Antón Arrufat, UNEAC, 1968.

p. 174 Affiche "Cinemateca de Cuba" de Rafael Morante, 1961.
–Portada de *Verde Olivo,* noviembre 10, 1968.
Todos los artículos referidos en las páginas 159 y 160 pueden verse en "Cuba: el archivo de Connie", www.annaillustration.com/archivodeconnie/?s=Leopoldo+Avila

p. 176 Poema de la noche 390 en *El libro de las mil noches y una noche,* traducción directa y literal del árabe por J.C. Mardrus; versión española de Vicente Blasco Ibáñez, prólogo de E. Gómez Carrillo, Valencia, Prometeo, 1899.

p. 178 Este edificio se encuentra en la esquina de las calles Mercaderes y Amargura en La Habana Vieja, construido por Don Francisco Basabe a principios del siglo XVIII.

p. 179 *La Casa del Conde de Jaruco* en la Plaza Vieja, La Habana Vieja, construido en el siglo XVIII.

Capítulo 6

p. 188 Este es el célebre edificio *Solimar,* en la calle Soledad, Nº 205, entre San Lázaro y Ánimas, construido por Manuel Capado en 1944. También se le conoce como el *Mae West.*

p. 189 *The Wind in the Willows* de Kenneth Grahame, ilustrado por Ernest H. Shepard. Publicado por Charles Scribner's Sons, Edition 1954. Citas de las páginas 174, 176 (la ilustración), 183, 184, 186.

p. 190 Retratos de V.I. Lenin y Leonid Breznev.

p. 192 Panel 3: "Peace is a human right", reproducción de una serigrafía de Emmy Lou Packard.
Panel 4: Dibujos basados en fotos de Paul Robeson y Ho Chi Minh.

p. 194 Fragmentos de tres affiches de las primeras páginas del periódico clandestino *Rat Subterranean News:* Panel 2: octubre 8, 1969; junio 1, 1968. Panel 3: marzo 9, 1970.

p. 196 Panel 2: Carátulas de cuatro álbumes de Bob Dylan: *The Freewheeling Bob Dylan, Blonde on Blonde, Bringing it all back Home, John Wesley Harding.*

p. 199 Paneles: 1, 2, 3, 4, 5, 6. Fragmentos de un affiche para la película *M.A.S.H.,* 1970.

p. 200 Panel 4: Retrato de V.I. Lenin.

p. 201 Panel 5: Retrato de Leonid Breznev.

p. 201 Panel 6: Carátula de *The Great Kremlin Palace,* Moscú, 1967.

Capítulo 7

p. 206 Montaje de Dan Mitrione, su asesinato, y la tortura de un Tupamaro, basado en fotos de la prensa de la época.

p. 207 Panel 1: Fragmento del affiche "Comandante en jefe ¡Ordene!", OCLAE (Organizacíon Continental Latinoamericana y Caribeña de Estudiantes).

p. 208 Panel 1: Dibujo de Kim Il Sung joven, basado en una foto de la época.

Panel 2: Affiche "Tu Deber es tener tu cuadra siempre limpia", Comisión de ornato regional CDR, Regional Centro Habana.

p. 209 Paneles 2, 3, 4, 5, 6: Fragmentos de affiches del ICAIC, *Aventuras de Juan Quinquín,* 1967, y *El Joven Rebelde,* 1961. Ambas películas dirigidas por Julio García Espinoza.

p. 211 Panel 1: Fragmentos de la "autocrítica" de Heberto Padilla, abril 27, 1971, reproducido en Lourdes Casal, *El Caso Padilla: Literatura y Revolución en Cuba-Documentos,* Ediciones Nueva Atlantida, NY 1971, pp. 79-82.

Panel 2: Fragmento de la portada de la revista *Casa de las Américas,* Nº 65-66, 1971, dedicada al Primer Congreso Nacional de Educación y Cultura, (La Habana, abril 23-30, 1971).

Panel 2: Cita insertada de la declaración del Primer Congreso Nacional de Educación y Cultura, 1971, en Lourdes Casal, ob. cit., pp. 105 y 106.

p. 212 Panel 1: Dibujos basados en fotos de la prensa del Teatro Nacional de Guiñol de Cuba.

p. 216 Panel 3: Portada del libro *Órbita de Emilio Ballagas,* Ediciones UNION, La Habana, 1965. Fragmento del poema "De otro modo" de Emilio Ballagas, ob. cit.

p. 218 Panel 1: Affiche "Primero dejar de Ser que dejar de ser Revolucionario", 1968.

p. 220 Panel 4: Affiche "Tu Deber es tener tu cuadra siempre limpia", Comisión de ornato regional, CDR, Regional Centro Habana.

LECTURAS SUGERIDAS

ALMENDROS, NÉSTOR y ORLANDO JIMÉNEZ-LEAL, *Conducta impropia,* Madrid, Playor, 1984.

ARENAS, REINALDO, *Antes que anochezca,* Barcelona, Tusquets, 1992.

BARROSO, MIGUEL, *Un asunto sensible,* [caso Marquitos] Barcelona, Mondadori, 2009.

BÉJEL, EMILIO, *Gay Cuban Nation,* Chicago, University of Chicago Press, 2001.

CASAL, LOURDES, *El Caso Padilla: Literatura y Revolución en Cuba-Documentos,* New York, Nueva Atlántida, 1971.

DIEGO, ELISEO ALBERTO, *Informe contra mí mismo,* Madrid, Alfaguara, 1997.

DÍAZ INFANTE, DUANEL, *La revolución congelada. Dialéctica del castrismo,* Madrid, Verbum, 2014.

EDWARDS, JORGE, *Persona non grata,* Barcelona, Grijalbo, 1975.

GUERRA, LILLIAN, *Visions of Power in Cuba. Revolution, Redemption, and Resistance, 1959-1971,* North Carolina, The University of North Carolina Press, 2012.

GUEVARA, ERNESTO, *El socialismo y el hombre en Cuba,* México DF, Ediciones ERA, 1967.

JOSÉ MARIO [RODRÍGUEZ], "Allen Ginsberg en La Habana" en *Mundo Nuevo,* París, nº. 34, abril 1969.

LEINER, MARVIN, *Sexual politics in Cuba: machismo, Homosexuality and AIDS,* Boulder, Colorado, Westview Press, 1994.

LENDOIRO, MARIANA, [RODRÍGUEZ GÓMEZ, MARTA EUGENIA] *Cuba: No hay tal lugar,* Nueva York, Ediciones La Cueva, 2006

LEZAMA LIMA, JOSÉ, *Cartas a Eloísa y otra correspondencia,* Madrid, Verbum, 1996

LUMSDEM, IAN, *Machos, maricones and gays. Cuba and Homesexuality,* Temple University Press, 1996.

PONTE, ANTONIO JOSÉ, *La fiesta vigilada,* Barcelona, Anagrama, 2007.

REED, ROGER, *The Cultural Revolution in Cuba,* Geneva, Round Table, 1991.

ROJAS, RAFAEL, *Tumbas sin sosiego. Revolución, disidencia y exilio del intelectua cubano,* Barcelona, Anagrama, 2006.

SALADO, MINERVA, *Censura de prensa en la Revolución Cubana,* Madrid, Verbum, 2016

SALAZAR, RUBÉN DARÍO y NORGE ESPINOSA, *Mito, verdad y retablo. El Guiñol de los hermanos Camejo y Pepe Carril,* La Habana, Ediciones Unión, 2012.

VERDÉS-LEROUX, JEANNINE, *La lune et le caudillo: Le rêve des intellectuels et le régime cubain,* Paris, L'Arpenteur, 1989.

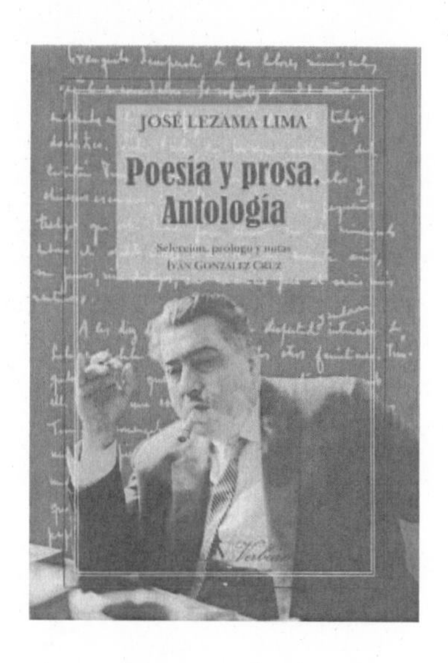

JOSÉ LEZAMA LIMA

Poesía y prosa.
Antología

I.S.B.N.: 978-84-7962-220-6

"Por querer enseñar más de lo que todos aprenden, pocos me han entendido, muchos me han despreciado y algunos se han tomado el trabajo de perseguirme". Esta desgarradora confesión de Simón Rodríguez, citada por Lezama en el ensayo El romanticismo y el hecho americano publicado en este libro, expresa también la vida de quien ha sido uno de los escritores más decisivos de la literatura iberoamericana: José Lezama Lima (1910-1976).

Esta Antología pone en manos del lector no sólo una cuidada selección que ha corregido y enmendado los errores que, hasta la fecha, la poesía y prosa de Lezama ha sufrido en ediciones anteriores, sino que ofrece además una instrumentalidad, desde el estilo fabuloso de su autor, para que cada lector pueda construir una imagen personal e íntima de quien es el precursor de una nueva forma del pensamiento poético contemporáneo. El humor, el sensualismo, el conocimiento, el sentido de la amistad y el amor, se unen aquí en una fiesta del lenguaje que ha logrado la audacia de la expresión plural. Así, vuelve Lezama a sorprendernos con una innovadora palabra que afirma la cultura como una realidad de todos.